Claudia Panno

Padres e hijos:
¡Sálvese quien pueda!
Guía para firmar la paz sin rendirse

Claudia Panno

Padres e hijos:
¡Sálvese quien pueda!
Guía para firmar la paz sin rendirse

EDICIONES

Padres e hijos: guía para firmar la paz sin rendirse
es editado por
EDICIONES LEA S.A.
Av. Dorrego 330
Ciudad de Buenos Aires, Argentina.
E-mail: info@edicioneslea.com
Web: www.edicioneslea.com

ISBN 978-987-718-091-6

Primera edición. Impreso en Argentina.
Abril de 2014. Arcángel Maggio – División Libros.

Panno, Claudia
    Padres e hijos : guía para firmar la paz sin rendirse . - 1a ed. -
Ciudad Autónoma de Buenos Aires : Ediciones Lea, 2014.
    128 p. ; 23x15 cm. - (Psicología cotidiana; 10)

    ISBN 978-987-718-091-6

    1. Psicología. 2. Relacioens Interpersonales. I. Título
CDD 158.2

Capítulo I

Los padres de antes no nos daban bola; los de hoy no dan pie con bola

¿Qué es una familia?

La familia es el grupo en el cual nacemos y crecemos, siempre y cuando nuestros progenitores no decidan abandonarnos dentro de una canasta en la entrada de una iglesia. En la mayoría de los casos, compartimos la misma sangre. En otros, no se sabe hasta que una prueba de ADN revela lo contrario. Pero lo común es que vivamos todos bajo el mismo techo y llamemos "papá" a ese señor que de chicos nos hacía el truco de sacarnos la nariz con la mano, aunque nos hubiera gustado que fuera un poco más inteligente.

Antes estaba de moda la familia extensa, porque las mujeres no trabajaban y se dedicaban a tener descendencia. También se había arraigado la idea religiosa de recibir a todos los hijos que Dios mandara. Encima, más allá de la voluntad divina, existía la poca voluntad del hombre de cuidarse para evitar la concepción en cadena. Total, él seguía con su vida, inmutable, mientras ella se transformaba en la jorobada de Notre Dame: con una gran giba en la espalda por si se le acababa la leche. Otra razón por la que se concebía en cantidades industriales era porque no costaba tanto mantener a la prole. Al no existir la tecnología de hoy, el bebé podía prescindir de una agenda electrónica de bolsillo y, en su lugar, llevarse un objeto menos caro a la boca.

Aquel modelo de familia se disolvió con la inserción de la mujer en el mercado laboral, ya que el hombre tuvo que compartir con ella las tareas domésticas y el cuidado de los chicos. Entonces ya no le pareció tan divertido tener un jardín de infantes instalado en la casa, con el agravante de que los pibes nunca terminaban de egresar. Otro factor de disolución fue el aumento de la esperanza de vida. Después de cincuenta años de convivencia, los cónyuges se morían. Hoy se comprobó que hay vida después de un mal matrimonio.

De los divorcios nació la familia ensamblada, en la que los hijos de un matrimonio anterior conviven con los del nuevo; y la monoparental, constituida por la unión entre una persona y un mono, porque se piensa que los niños crecen mejor y más sanamente si uno de los padres está en una jaula.

Los cambios en el modelo tradicional de familia incidieron directamente en la forma de educar a los hijos. Un rasgo típico de los adultos de antes era el autoritarismo, que los nuevos padres abandonaron en pos de una crianza permisiva. Al tratar de evitar los errores que sus progenitores cometieron con ellos, incurrieron en otros. La educación debería ser como la moda, que toma los diseños de décadas pasadas, pero los mejora. Como padres, en vez de apartarnos del ejemplo que mamamos, deberíamos incorporarlo y reciclarlo, y no colocarnos en el extremo opuesto, el cual, por otra parte, desconocemos totalmente. Si ya pasamos del traje militar al de *neoprene* (en el que todo nos resbala), ¿por qué no probar con el unisex de mago que viene con la bola de cristal?

Funciones de los padres: de la dominación a "están nominados"

Mucho se habla de las funciones de la familia, quizá la primordial sea la de criar y educar a los hijos a través de la transmisión de las pautas de comportamiento. En este proceso, ambos padres colaboran indistintamente. Sin embargo, no fue así cuarenta o cincuenta años atrás.

Para empezar la madre era la encargada absoluta de alimentar al bebé, y no solo porque la comida provenía de su cuerpo; también lo hacía con el biberón y la papilla. El hombre, en esos casos, era un simple espectador de la función materna. También debía ocuparse de que el lactante no molestara mucho, sobre todo a la noche, cuando los esposos se reunían a conversar. Y como los chicos intuían que la vieja se los quería sacar de encima, lloraban con más fuerza. Era entonces cuando el pediatra le aconsejaba a la madre darle al niño unas gotitas de sedante. Además de alimentar, vestir, higienizar e hipnotizar al crío, la mamá debía hacerlo con devoción, porque, de lo contrario, podía ocasionarle serios trastornos.

La mujer se encontraba un poco bajoneada después del nacimiento del bebé; padecía de una especie de melancolía a la que aún no se le había dado el nombre clínico de: "¿Quién carajo me habrá mandado a tener un hijo?". Se supo, más tarde, que aquel sentimiento de desolación, angustia y desbordamiento que las madres sentían se debía a que se encontraban solas frente a la inmensa labor de la crianza. Cabe aclarar que trabajaban el doble, porque los pañales eran de tela; los biberones, de vidrio; y los esposos, de madera.

En cuanto a la función del padre, lo primero que se le pedía era que cuidara a la madre, la protegiera, la apoyara en su rol y, sobre todo, la siguiera encontrando atractiva, a pesar de que era muy común que la mamá dejara de arreglarse, por falta de tiempo y de ánimo, y estuviera muy parecida a Cachavacha.

El hombre no interfería en las actividades maternas hasta que el niño crecía. Recién allí le proponía juegos altamente creativos: cargarlo a babuchas por la casa y, al mismo tiempo, darle consignas para que lo ayudara en la realización de algún trabajo, como el de sostenerle la linterna mientras revisaba el desagüe de la pileta de lavar los platos. Y si estaba de muy buen humor hasta le organizaba un programazo: llevarlo a pasear a su oficina.

Otra de las funciones paternas era sacarle al chico los miedos. Por ejemplo, si el niño le temía al agua, lo zambullía en la pileta de cabeza. Del mismo modo, si les temía a los caballos, lo sentaba de prepo sobre uno. Y, además, le decía: "Yo, a tu edad, era el Llanero Solitario". Cosa totalmente cierta, ya que andaba solo como un perro (o un caballo), porque fue malo desde chiquitito.

El padre también actuaba como referente para instruir al pequeño en el respeto. Lo conseguía respetándose a sí mismo y a los demás. Por lo tanto, no era conveniente que agarrara a la madre del cogote por atender al sodero en camisón ni que insultara al mecánico por cobrarle una fortuna y, aun así, el auto no arrancara. Tampoco era prudente que se mandara uno de sus acostumbrados "rosarios" a los automovilistas, y cuando alguno se bajaba del vehículo para enfrentarlo, él disparara más rápido que el *Correcaminos*.

Hoy la crianza se reparte entre ambos progenitores, lo cual no garantiza que los chicos crezcan mejor, pero sí que la madre esté menos agotada. Padre y madre contribuyen en la formación de la personalidad del hijo desde el nacimiento, así que no tiene que aprender de uno y de otro por separado.

Otra cosa que cambió es la forma en que se disfruta del tiempo libre en familia, que dejó de ser una imposición de los padres. A la hora de organizar una salida, se tienen en cuenta las preferencias del chico, que incluyen hacer veinte mil cosas en el día y además pedir que le compren todo lo que se le cruza por la vista. Por lo tanto, salir con los pibes se convirtió en *Un largo camino a casa*.

Buscar su cooperación en el hogar es un tema complicado también, porque ellos están abarrotados de actividades extraescolares y no tienen ánimo de llegar y sostenerle la linterna al papá para que desagote la pileta de lavar los platos ni de ayudar a la mamá a guardar los comestibles del súper. Debido a la sobreestimulación, se perdió el tiempo de ocio y los piojitos siempre están ocupados en algo, como, por ejemplo, en aprender a manejar a los robots de los padres. Exprimirles el cerebro más allá de su rendimiento les provoca un bloqueo, como dice el doctor Miguel Clorofila en su libro *Los árboles no crecen tirando de las hojas*. Con esto quiso demostrar que los padres se esfuerzan por avispar a los chicos, porque, en su infancia, ellos fueron unos troncos. La instrucción del respeto ha perdido solemnidad, pero no importancia. Sigue siendo una pauta enseñarles a los hijos a saludar a los mayores, aunque ellos prefieran sacarles la lengua.

El padre es el guardián de la ley y el orden; contrariamente al pasado, ya no es más "el malvado de la película". Con él se puede jugar a la lucha, porque dispone de más fuerza que mamá, y además le gusta revolear al peque por el aire, agarrarlo de las piernas y ponerlo cabeza abajo, situación que pone de la cabeza a la madre también. Y no hay que olvidarse de lo más importante: el papá es un banco que, al principio, como la misma institución lo hace, les da crédito a los clientes (sus hijos), para luego cobrarles intereses. Pero de esta forma les enseña el valor de la plata. Para que tengan una idea de lo que significa el trabajo, el adulto le asigna al niño una tarea remunerada, como la de lustrarle los zapatos. También le enseña a administrar lo ganado, así no se lo gasta todo en un solo día, como hace la "Robocoop" de la madre cuando el Credicoop del marido le da algo.

Considerando estas tareas y las tantas otras que desempeñan los progenitores a diario, parecería que ser buenos padres es casi imposible. Sin embargo, la gran noticia es que los chicos aprenden también de la imperfección. Los defectos de los adultos son un consuelo para ellos, porque si hicieran todo bien, sería muy difícil imitarlos. En cambio es muy fácil quedarse con el vuelto ajeno, porque antes la vieron a mamá no devolvérselo al ferretero y encima exclamar: "¡Qué chorro! Me cobró la tapa del inodoro como si fuera de mármol de Carrara". O criticar al prójimo, porque a papá se le escapa insultar al peatón que cruza cuando ya cambió el semáforo y además acota: "¡Encima, si lo atropello, lo tengo que pagar por bueno!".

Los padres de antes: un modelo para desarmar

La mayoría de los nacidos entre las décadas de los cincuenta y setenta tuvimos padres duros, que nos impusieron el respeto a través de unas reglas demasiado estrictas. Por lo tanto, no nos dieron lugar a opinar a la hora de tomar decisiones. Lo increíble es que todo lo hacían por nuestro bien. Y así, por nuestro bien, nos impregnaron la cabeza de vinagre contra los piojos, nos obligaron a dormir con un aparato en la boca que nos enderezaba los dientes y nos dieron leche de magnesia para ir de cuerpo. Frente al recurrente problema de la pediculosis los padres le decían al niño: "Tenés piojitos, vas a hacer un tratamiento durante un mes, por tu bien", mientras el chiquillo pensaba: "Por mi bien, ¿no sería mejor que el tratamiento lo hicieran los piojos?".

Una de las características de los padres de antes era la falta de contacto físico con el hijo, que luego comprendimos se debía a esa vieja creencia que rezaba que si a los chicos les das la mano, te toman el codo. Así que no había muchas demostraciones de cariño ni abrazos. Tampoco existía el diálogo como el de hoy, en el cual los padres les confiesan a los chicos que tienen miedo de educarlos. En su lugar, nos daban vuelta la cara de un sopapo, pero siempre por razones justificadas, como llegar una hora tarde a la casa, porque no se había inventado el celular para avisarles. Como los padres eran cortos de palabras, les costaba hablar de los logros y virtudes de sus hijos, frente a ellos. Pensaban que, si lo hacían, nos íbamos a agrandar. No se percataron de que una pizca de autoestima era necesaria en el desarrollo de la personalidad del niño. Por ejemplo, si el chico escribía mal, la mamá lo podía estimular diciéndole: "No se te entiende la letra, de grande, seguro, vas a ser médico".

La frialdad de los padres, así como la imposibilidad de encontrarnos algún mérito, se debió a que sus propios progenitores fueron indiferentes con ellos y no les reconocieron ninguna cualidad, a no ser la de sirvientes, ya que los obligaban a trabajar; a las mujeres, en el hogar y a los varones, en el campo. Y no era una colaboración, sino un trabajo. La prueba estaba en que debían dirigirse a los mayores de "usted", igual que ante un jefe. El hogar lo componían un padre proveedor, una madre sumisa y los retoños, de los cuales se esperaba que no causaran problemas. La disciplina la impartía principalmente el cabeza de familia, al que le gustaba mucho repartir enseñanzas entre sus hijos, a pesar de que no había terminado la escuela, porque más que padre era un maestro ciruela. Sin embargo, la que manejaba la batuta era la vieja, bastante calladita, por cierto, hasta que los hijos la sacaban de las casillas. Entonces esa mujercita dulce que tejía, hamacándose en la mecedora, se convertía en Cruela de Vil.

Si bien la función de nuestros viejos era educarnos, imponiéndonos modelos para imitar, ellos rara vez se pusieron de ejemplo, por eso repetían: "Haz lo que digo, no lo que hago". En cambio, les gustaba que los modelos los tomáramos de Hollywood. Entonces cuando la nena encendía el Winco y se ponía a bailar en el living, enseguida comentaban: "¡Tenés que ver cómo baila... Shirley Temple!".

Otra particularidad de las familias era que el centro del hogar no lo constituían los niños, como ahora, sino los muebles, tanto era así que, si el hijo rompía un florero, los padres reaccionaban como si hubieran perdido una pieza de la dinastía Ming. Las penalidades que se le aplicaban al rebelde iban desde el cinturonazo hasta la penitencia. Se salvaba del primero si el florero en cuestión lo había derribado en ausencia de los emperadores. Más allá de estos percances, el acatamiento de las normas era una cosa natural en el hogar, aunque los pibes hacían caso solo para evitar las represalias y no porque entraran en razón. Los adultos nunca entendieron que un niño se porta mal, no porque tenga intención de provocarlos o verlos rabiar, sino simplemente porque está en su naturaleza, como dice Serrat, *joder con la pelota*. De todas maneras, nunca se castigaba al menor en público; se esperaba a llegar a la casa para conducirlo ante el Tribunal de la Santa Inquisición.

Nuestros padres nos educaron siguiendo el patrón de comportamiento que les impusieron los suyos, o sea el del Liceo Naval, con una pequeñísima dosis de flexibilidad, que solo ellos notaron. Suponiendo que las razones por las que nos trajeron al mundo fueran claras y seamos fruto del amor, aun así encontrarse con un bebé que demandaba comida, pañales limpios, visitas al pediatra, juguetes, nodrizas, protección y millones de cosas más no debió ser tarea fácil. Primero, porque para cumplir con esas exigencias debieron abandonar su vida social –las partidas de naipes con los amigos o las salidas al teatro–, y cambiarlas por noches en vela al lado de un niño que les ocupaba la cama y que no hacía otra cosa que llorar y despertarlos cada tres horas, en el mejor de los casos. Y segundo, porque en ese mismo acto perdían su vida conyugal, su intimidad, y ya nunca más podrían pasearse por la casa en bolas sin provocar risas. La mujer pasaba a dedicarse al hijo con exclusividad y el hombre no tenía más remedio que apartarse. Así y todo hay que entender que no nos dieron la vida para sacrificarse –aunque les gustaba mucho contarnos a todo a lo que habían renunciado por criarnos–, sino para amarnos, para revivir en nosotros su infancia y, de ese modo, obtener un resarcimiento.

El diario de Ana Franca

A propósito del domino absoluto que los padres de otras épocas ejercían sobre los hijos, nos llegó el testimonio de Ana Franca, una mujer que se crió bajo el autoritarismo asfixiante de su madre.

Vengo de un hogar con una madre muy dominante que no me daba ni la más mínima libertad de acción, y un padre que era un cero a la izquierda. Mi vieja era tan controladora que hasta me revisaba los cajones y el ropero. Igual no me iba a encontrar nada, porque yo ya me había asegurado de guardar el diario íntimo, donde la puteaba, en la casa de una amiga.

Sí, siempre me gustó escribir, y quería ser escritora, pero mi mamá no me dejaba porque decía que era una carrera de vagos. Por eso, cada vez que me veía con un libro entre las manos me decía: "Vos, que no estás haciendo nada, andá a comprarme el pan".

A los quince años conocí a un muchacho que me gustaba y cuando mi mamá se enteró, puso el grito en el cielo, porque además de autoritaria era cantante de ópera. Por supuesto que no me dejaba salir ni al balcón a saludarlo, típico de castradora. Todas mis amigas iban a fiestas y yo también, pero a la de las "sábanas blancas", como la llamaba ella. Ah, además me hacía rezar antes de dormirme y entonces yo le pedía a Dios que, por favor, la atropellara un camión.

Una de las cosas que más odiaba de chica era que mi vieja me llevara a lo de una señora a curarme el empacho. La tipa me pellizcaba la espalda y eructaba. También le decía a mi mamá que me diera de tomar, todas las mañanas, una cucharada de miel seguida de ajo para matarme los parásitos. Ahora entiendo a esa chica Carrie, que se hartó del abuso de la vieja y usó el poder de su mente para crucificarla.

Al final, logré liberarme de tanta opresión y maltrato cuando me fugué de casa, a los cuarenta y ocho años, pero eso lo cuento todo en mi libro "El diario de Ana Franca".

Capítulo II

Claves para dar en el clavo y lograr hijos felices

Mamá y papá eran una pareja

Como decía la publicidad: "Un bebé lo cambia todo". Y sí, antes de su llegada, los papás estaban unidos y se llevaban bien. Se ponían de acuerdo en el cochecito que le iban a comprar, en el nombre que tendría y, sobre todo, en que dormiría en su cuarto solo, a los seis meses. Pero transcurrieron seis meses... un año, y la mujer seguía pasando las noches en la habitación del niño y, además, cada día estaba más "boludable", al punto que se acercaba a la cuna a cada rato a comprobar si el nene respiraba.

A medida que el niño crecía, comenzó a hablarle con las mismas palabras que él utilizaba erróneamente. Por ejemplo, él decía: "Me poní la gorra mal". Y ella lo corregía: "No, mi amor, se dice me poní la gorra al revés". Se encontraba tan estrechamente ligada al bebé que se olvidaba del mundo y sus preocupaciones se centraban en el pipí, en el popó y ni se acordaba del papá. El mismo pediatra lo comprobó cuando los vio llegar al consultorio para el control del mes. Ella estaba gorda, cansada y desaliñada; y él, resignado.

Para criar hijos felices debe prevalecer el amor y la atracción entre los cónyuges. Sin embargo, muchas parejas pierden el entusiasmo, comienzan a tener diferencias y se la pasan discutiendo. Al cabo de un tiempo se dan cuenta de que se mantienen unidas por el bebé. En esos casos, se le aconseja, principalmente a la madre, que trate de no estar de mal humor, al menos en ausencia del esposo, porque es muy feo que se quede sola con el bebé y siga insultándolo.

Veamos el diálogo entre una mujer que está harta del marido y su beba de seis meses, si pudiera hablar:

–*Tu papá es un caso increíble. Deja la ropa tirada por toda la pieza, pero yo ya me cansé de ser su mucama. Voy a dejar que se le haga una montaña tan grande pero tan grande que ya no pueda ni entrar en la habitación.*

–*Está bien, mami, que la montaña vaya a Mahoma.*

–*Viene del trabajo y se pone a descansar. ¿Y yo que estuve todo el día trabajando en la casa y cuidándote a vos no tengo derecho a descansar también? No, claro, porque el señor quiere comer y le tengo que preparar la cena, pero ¿qué soy yo?, ¿la hija de la pavota?*

–*No, ma, la hija de la pavota soy yo.*

–*Le hablo y no me contesta. Para mí que no me escucha o no me entiende, no sé. ¿Era esto el matrimonio?*

–*No, mami, esto es el manicomio. Y lo peor es que la única que va a terminar yendo al psiquiatra cuando sea grande soy yo.*

–*¿Por qué no habré hecho como mi prima Celia? ¡Esa sí que fue viva, eh! Se casó con un millonario. Por interés, claro. ¿Y ahora qué hace? Se rasca el ombligo todo el día y a los pibes se los cuida la niñera.*

–*¡Porque vos te casaste desinteresadamente, mami! ¡No tenías ningún interés en hacerlo! Lo que pasa es que no te quedaba más remedio, porque ya se te notaba la panza.*

Consejos para padres

Para que los hijos crezcan felices y los padres coman perdices, es necesario tener una buena actitud frente a los niños. También, enseñarles una serie de pautas que les servirán para manejarse en la vida. Esta *Guía* pone a su alcance las recomendaciones que todo aspirante a buen padre debe seguir:

Crearles buenos hábitos

Somos los espejos donde se miran los hijos, así que hay que cerciorarse, primero, de que nuestra imagen se refleje en el cristal, para no estar criando vampiros. Segundo, debemos regular nuestras conductas para que no les quede a los chicos fijado solo lo malo (la parte en que dormimos hasta tarde, en un ataúd). Otro ejemplo es cortarnos las uñas de los pies en el baño, aunque nos resulte más cómodo hacerlo sobre la cama y que vean cómo los pedazos vuelan por toda la habitación. De esta manera, demostramos orden, prolijidad y que no somos tan perezosos como pensábamos. También hay que fomentarles costumbres de orden, como la de guardar los juguetes en un cajón, después de usarlos, o la de colgar la ropa en un perchero que esté a su altura. Desde ya que ningún niño lo hará por motu propio. Por lo tanto, se puede inventar una canción que contenga dichas consignas. No hay que olvidarse de felicitarlos luego de realizar el trabajo asignado y de darles una *happy face* o una estrellita. Para los padres, a veces, esta tarea es mayor que la de ponerse a acomodar ellos mismos. Sin embargo, si el niño no realiza ni el más mínimo esfuerzo, puede ser que en el futuro se convierta en un inútil, ante los ojos de los progenitores, claro, porque ante los ojos del mundo será un bacán.

Terminarla con la cantinela

"Atate los cordones", "peinate", "no cantes en la mesa", "andá a bañarte". En fin, hay que tratar de cambiar el repertorio, innovar un poco, salirles de vez en cuando con un martes trece, del tipo: "No se te vaya a ocurrir guardar todos los juguetes después de jugar, ¡eh!".

También hay que tener cuidado con los calificativos negativos que se le ponen al hijo, como los de "tonto" o "inútil", porque quedarán tatuados en su mente y puede ser que se los crea y en el futuro se considere un perdedor. Todo lo contrario pasa con los elogios tales como los de "sabio" o "millonario", los cuales rara vez prenden en la psique del hijo.

Evitar la cargada

Los padres que tuvimos fueron muy poco diplomáticos cuando hablaban de nuestros defectos. A un integrante de la familia con las orejas para afuera le decían frases como esta: "Cuando seas grande, te las vas a tener que operar". Esto recalaba muy hondo en la autoestima del peque, pero en ese entonces no estaba de moda formar hijos confiados. Hoy sabemos lo dañino que es señalarle al niño un defecto físico, aunque sea en tono de broma, como, por ejemplo: "Tenés las orejas de Dumbo". Se le puede,especificar, por el contrario, que, con esos oídos, va a tener una audición amplificada como la de la abuelita de Caperucita Roja.

Por otro lado, hay que evitar el lugar común, como el siguiente: "Hoy te peinaste a la cachetada". Eso produce otro tipo de trastornos en el menor: las fijaciones. Y después termina siendo cantor de tango.

No pegarles bajo ningún concepto

Aunque sea muy tentador, hay que evitarlo, porque ya no es como antes que un chirlito estaba bien. Ahora se cree que, a partir de eso, puede creársele un trauma.

La peor parte del golpe es que no surta el efecto buscado y que el chico siga comportándose mal, porque entonces sentimos una culpa tremenda. Y ni qué hablar si encima el castigado se va a algún lado y no lo vemos por unas horas. El maltratador se pasa la película de que el infante estará sufriendo a lo Annie, la huerfanita. Pero no sabe que los niños tienen dos cualidades: una memoria de los hechos a muy corto plazo, como Dory, la amiga de Nemo, y una facilidad enorme de dispersión, de allí proviene el comentario de que se distraen tan solo con el zumbido de una mosca.

Por otra parte, la psicología moderna aconseja no castigar a los niños, sino tratarlos con mucha dulzura. Pero se complica cuando los demonios racionalmente comprenden lo que se espera de ellos, pero aún así se empeñan en hacer lo contrario, por esa gracia que les da llevarnos la contra. Tomemos el caso de un chico que se rehusaba a ponerse la campera para salir. En lugar de enfurecerse y tirarle del pelo, la madre recurrió a otro método, también aconsejado por la ciencia… ficción: puso al niño en una cápsula, a la campera en otra y accionó la máquina teletransportadora. El resultado que obtuvo fue el de un niño con el cerebro de una campera; mucho más fácil de dominar, por cierto.

Expresarles el orgullo que sentimos por ellos

Hay que alentar a los niños a que realicen actividades por su cuenta y expresarles que las han hecho satisfactoriamente, así como también decirles que poseen muchas habilidades y que son más las veces que consiguen su objetivo que las que fallan. En fin, reconocer las cualidades del chico, y si no tiene ninguna, ponerle onda. Por ejemplo, felicitarlo por el muñequito de cerámica que creó con sus propias manos para el Día de la Familia, aunque no sepamos cuál es la cabeza y cuáles son los pies, como hacía la mamá de Pablo Picasso cuando veía uno de los rompecabezas de su hijo, llamados cuadros.

Con nuestra aceptación y entusiasmo estamos colaborando en la construcción de la autoestima del niño, que es la opinión que tiene sobre sí mismo, a pesar de que el mundo piense lo contrario. Si el pequeño obtiene confianza del entorno, crecerá feliz. En cambio, sin autoestima se sentirá inferior y tratará de autodestruirse, por ejemplo, escuchando las canciones de "La ola está de fiesta", de Flavia Palmiero.

Es importante que los chicos ingresen en la escuela sintiéndose fuertes emocionalmente y seguros de quiénes son; de lo contrario, los compañeros los harán puré. Un niño inseguro se transforma en el blanco de todas las bromas. Pensemos en nuestra época: los compañeros no tenían nombres, sino apodos, que eran bastante parecidos a insultos: "gordo", "cuatro ojos" o "cuatrochi", "ruso", para citar algunos. Hasta al que era habilidoso para estudiar y retener lo estudiado se lo menospreciaba llamándolo "traga". Pero si a esos mismos chicos en la casa se los trataba con amor y sin descalificarlos, podían superarlo. No como este pequeño al que humillaron en la escuela y después de contárselo al padre se quedó aún más traumado.

—Papi, papi, los chicos en la clase me dicen "niño lobo".

—No les creas nada, hijo, y sacate el pelo de la cara cuando te hablo.

Olvidarnos de lo malo

Tenemos la obligación de vigilar a los niños, sobre todo, cuando están jugando solos y en silencio. De todas formas, no hay que ser muy rudos al descubrir que el chico, durante ese tiempo, se estuvo podando la cabeza. Recordemos la de pavadas que hacíamos nosotros en la infancia. Una era la de andar por la calle, del brazo de uno de nuestros padres, simulando que éramos ciegos. También imaginábamos que, de repente, nos quedábamos rengos o con un brazo tieso. Nuestros papás censuraban esos comportamientos, aunque no podían ocultar que les provocaban risa. De todas maneras, siempre terminaban echándonos alguna maldición del estilo: "¿Mirá si te quedás así para siempre?". Y a veces la profecía se cumplía, porque a la hora de cortar el césped, lavar el auto, u ordenar los cajones éramos todos mancos.

Los niños son muy propensos a tramar travesuras y por más ingeniosas que nos parezcan algunas, debemos advertirles sobre las que entrañan peligros. De todos modos, no hay que ser rencoroso ni vivir recordándoles, por ejemplo, la vez que tuvieron que colocarle al abuelo la bota elástica, porque le corrieron la silla en el momento en que se iba a sentar.

Darles amor, protección y seguridad

Parece una obviedad, pero muchos padres se olvidan de mimar y proteger a los niños, porque todavía está lejos el momento en que ellos se los retribuyan, como se suele decir, buscándoles un buen geriátrico. Además confunden amor con consumo y entonces le compran una cajita feliz, creyendo que además de muñequitos trae la fórmula de la felicidad.

El amor es un sentimiento muy importante para que los chicos crezcan contentos. Sin embargo, en este punto es donde muchos padres fallan. Pasar tiempo con los niños y disfrutarlo sería una demostración de afecto. Tenerles paciencia y tolerancia, otra. En vez de eso los adultos viven tensos y alejados de los hijos, siempre preocupados en conseguir más dinero para llevarlos a Disney. ¿Cómo termina la historia? Con los pibes ya grandes echándoles en cara a los viejos que al final no conocieron ni la Ciudad de los Niños.

La protección y seguridad del menor no es una misión fácil. Acá los padres fluctúan entre la fantasía y la realidad. Decirles que el orín de un sapo los dejará ciegos es un mito; en cambio, besarlo para que se convierta en príncipe es lo que hace mamá con papá cada vez que demuestra feos modales en la mesa. Además de la seguridad y protección externa, los chicos necesitan confiar en los padres, saber que siempre están allí para defenderlos. Por eso, cuando un niño se pelea con otro utiliza como recurso la frase: "Se lo voy a contar a mi papá". Luego, el adulto decidirá si es indispensable intervenir en la rencilla o basta con mandarle un anónimo a la familia del agresor, con letras recortadas de una revista, que diga: "Sos boleta".

También los adultos son los encargados de ahuyentar los miedos del niño, sobre todo a la noche. Para ello, pueden utilizar un cuento o un peluche que le dé protección durante el sueño. Si es más grande, hay que ayudarlo a que él mismo resuelva sus temores. Por ejemplo: había un niño que le tenía pánico a lo sobrenatural, más precisamente a las brujas. Entonces la madre le dio una explicación racional del tipo: "Las brujas no existen, pero que las hay, las hay", y dejó, de esta manera, que el niño sacara sus propias conclusiones acerca de si su madre era una de ellas o no. Por las dudas, a la noche le retiraba la escoba de atrás de la puerta.

No presionarlos

Muchos padres presionan a los chicos en dos áreas: los alimentos y los deportes. A lo mejor piensan que si el hijo come sano se transformará en un Messi. Por lo tanto, lo obligan a probar un poco de todo, siendo que al peque le gusta alimentarse siempre de lo mismo: hamburguesa y papas fritas. Además, le ponen la espinaca en la mesa para ver si la prueba y se vuelve tan forzudo como Popeye o menos seco de vientre. Otra táctica de presión es preguntarle en cada oportunidad que tengan: "¿Por qué no te gusta el tomate?", con la esperanza de que el niño encuentre una respuesta más adecuada que no sea: "Porque no".

Si el chico siente cierta inclinación por algún deporte, los padres pueden acompañarlo a los partidos, pero no a los entrenamientos, porque el entrenador ya les dijo mil veces que no es bueno que estén presentes, debido a que el deportista se distrae o se quiere ir a la casa antes. También deben parar de repetir esa frase vieja y sin sentido: "Lo importante no es ganar, sino competir", ya que no existe ser humano sobre la tierra que practique un deporte, porque le parezca importante perder.

Dedicarles tiempo

Para jugar con ellos si son pequeños o para dialogar si son más grandes y aún nos dirigen la palabra.

Con respecto a los juegos, es conveniente saber que a los pequeños les encanta inventarlos y poner sus propias reglas. El papel del adulto es seguirles la corriente, saber siempre menos que ellos y, sobre todo, perder.

Los niños utilizan el juego para entender cómo funciona el mundo, para conectarse con la realidad y para cumplir con otros roles. Al ponerse en el lugar del papá, van a trabajar o arreglan la licuadora. También cocinan o lavan, como la mamá. Y, especialmente, las niñas visten y alimentan a las muñecas en su rol de madres. Otra razón del juego es la de exorcizar temores. En el pasado, la gallinita ciega servía para que el niño perdiera el miedo a la oscuridad. Hoy se estila dormir con un revólver debajo de la almohada, pero de juguete, claro.

Es importante que los mayores se involucren en los pasatiempos del chico y demuestren verdadero interés, porque el menor no es ningún gil y se da cuenta si el padre está con la cabeza en otra parte, sobre todo cuando canta "piedra libre" y estaban jugando bingo.

A medida que los chicos crecen, van incorporando los videojuegos y ya no les interesa la participación de los adultos. No existe más la generala, que reunía alrededor de la mesa familiar a los padres, a los hermanos y a los abuelos para terminar todos peleados como el jurado y los participantes de *Bailando por un sueño*.

Recompensarles los aciertos, pero no pasar por alto los errores

Deben saber lo que ocurre si no hacen caso a lo que les pedimos que hagan; por ejemplo, hay que explicarles lo molesto que es tenerlos todo el día en casa, porque quisieron faltar al colegio.

El sistema de recompensas es muy usado por los padres cada vez que el niño se porta bien o les obedece. Casi siempre se basa en el ofrecimiento de golosinas. Entonces el adulto premia que el niño cumpla con sus obligaciones por medio de caramelos, chupetines y helados. De este modo, el pequeño bribón se acostumbra a manejarse por interés. ¡Qué diferente de otras épocas en las que los adultos nos pedían algo y contaban hasta tres para que se los alcanzáramos! Del miedo que teníamos no los dejábamos llegar ni hasta el uno. Pero hoy los especialistas en la materia (los señores del kiosco) aconsejan enaltecer las acciones positivas del niño. Como podemos observar, la educación se convirtió en una fiesta de *Halloween* o –para decirlo en castellano– en un viva la Pepa, en la que en vez de salir los chicos a pedir dulces por las casas, una vez al año, los obtienen todos los días en el hogar. Y si los grandes no acceden al *treat* (dulce), los pillos les juegan una broma (*trick*) a cambio, como puede ser la de ponerle una araña de plástico en la cama de los padres.

Para contrarrestar el jolgorio, el método que el doctor Stivill nos legó en su obra *Duérmete niño que viene el coco y te comerá"* propone educar a los nenes sin tanta cháchara. Por ejemplo, dice que, a la hora de dormir, hay que meterlos en la cuna, apagarles la luz y dejarlos gritar. Y nada de alzarlos, acunarlos y mucho menos intercambiarles una golosina por un beso.

Hablarles con madurez y seriedad

Y poner voz de adultos, sobre todo, si somos todavía un poco inmaduros. Muchos padres se cuestionan lo difícil que es comunicarse con los chicos justamente en la era de la comunicación. Un padre está hablando con el hijo y de repente el pibe lo deja colgado, porque le sonó el celular. Una táctica para que el chico se acerque al diálogo sería buscar un tema de actualidad, porque eso une bastante, como, por ejemplo: "¿Escuchaste que hablar mucho por el celular trae cáncer?".

Las charlas alrededor de la mesa, durante la cena, son cada vez más raras debido a que el padre llega tarde, la hija está a dieta y la madre almuerza con Mirtha Legrand. Algunos viejos ya optaron por buscar a los pibes en el *messenger* cuando les quieren decir algo. En otra época, las familias cantaban o bailaban en ronda a la noche y era una forma de estar juntos. Si hoy se les propone eso a los pequeñuelos, es probable que piensen que esos no son sus padres, sino la tribu de los bosquimanos del Kalahari.

No manipularlos ni utilizarlos en nuestro propio interés

Estamos hablando de obligar al niño a filmar una publicidad y usar el dinero en beneficio propio, en vez de depositarlo en una cuenta a su nombre hasta que adquiera la mayoría de edad.

¿Cómo detectar cuando la manipulación es utilizada por uno de los progenitores en contra del otro?

• Cuando se descalifica al padre ausente delante de los hijos tildándolo de payaso, lavarropas, o perejil.

• Cuando se mofan de las opiniones del hijo acerca de ese progenitor: "¿Te parece inteligente un hombre que lo ascienden en el trabajo porque es ascensorista?".

• Cuando se miente sobre el progenitor en cuestión: "Tu padre va a tener plata el Día de la Escarapela".

Ponerse en el lugar de los hijos para saber qué sienten y cómo se desenvuelven

Ver el mundo desde el punto de vista o la perspectiva del pequeño significa que los muebles nos van a pegar justo en la nariz.

Cuando retamos a un hijo y se queda mirándonos, creemos que entendió el mensaje, pero en realidad lo que siente es desconcierto. Para un niño, no hay nada de racional en pedirle, por ejemplo, que deje de subirse y bajarse del changuito en el supermercado. Está jugando al basurero: el changuito hace las veces del camión y la mercadería que mete dentro son las bolsas de residuos. Sin embargo, para la madre no solo es incómodo que el chico no vaya caminando a su lado, sino también peligroso, porque el día de mañana puede querer convertirse en un recolector de residuos ¿y dónde quedarán entonces sus sueños de verlo triunfar como científico?: en la basura. En lugar de reprimirlo, ella, en ese momento, debe ponerse en la piel del niño y acordarse de cuando iba al súper de chica y se llenaba los bolsillos de las galletitas de las góndolas, porque no existían las cámaras de seguridad, y no por eso se convirtió en una repositora. Este ejercicio ayuda a ser mucho más tolerante, no solo con el niño, sino también con el basurero, al que no siempre se le da la propina a fin de año.

Brindarles un ambiente de confianza y buena predisposición en el que encuentren respuestas a sus dudas

Esto quiere decir no mandarlos a freír churros cada vez que se acerquen a preguntarnos: "¿Y po' qué...?". La clave está en que los padres tengan un criterio unánime a la hora de educar. Imaginemos lo confuso que puede ser para un niño criarse en un ambiente donde un progenitor le aconseja devolverle la piña al compañero de grado que le pegó, mientras que el otro le sugiere avisarle a la maestra. El niño está a medio camino entre convertirse en un boxeador o un en buchón. Menos mal que vio, de contrabando, algunas películas sobre la mafia, así que la próxima vez que lo quieran surtir desarmará al agresor con una adaptación de una frase del film *Casino*: **"Hay tres maneras de hacer las cosas: como las hace mi mamá, como las hace mi papá y como yo las hago".**

Compartir las experiencias con otros

Es muy saludable para los padres comentar con otros las cosas de los hijos, porque les abre la cabeza, sobre todo si viven enfrascados en su mundo o en un barrio privado. También les sirve para informarse sobre cuáles son los juguetes más apropiados y dónde comprarlos, porque es muy feo descubrir que le regalamos un avioncito al nene, fabricado en China, que resultó tóxico.

Siempre hay un grupete de madres que está muy actualizado, mientras que otras viven, justamente, en una nube de gases tóxicos. A ellas hay que recurrir, porque tienen datos valiosos sobre colegios, salidas de fin de semana y campamentos de verano. También pueden darnos una mano si nuestro hijo está especialmente caprichoso u obsesivo y no sabemos qué hacer al respecto.

Una madre le comentó a otra que su nene andaba medio revirado con la ropa, decía que le molestaba y se quería cambiar constantemente. Ella al principio le seguía la corriente y lo ayudaba a ponerse otra, pero después empezó a enfurecerse, sobre todo, cuando al peque se le ocurría despojarse de las vestimentas en la calle y a plena luz del día, como si fuera San Francisco de Asís, me quedo en *tarlipes*. La experimentada –madre de nueve retoños– le comentó que esos comportamientos son típicos de los hijos únicos cuando presienten que la mamá está embarazada o tienen delirio místico. Gracias a ese dato, la señora se hizo un Evatest y le dieron positivo los dos resultados. En ese caso, la conducta del niño no era ni caprichosa ni absurda, como la progenitora pensaba, sino premonitoria de lo que iba a sufrir con la llegada del nuevo cristiano. A veces el capricho funciona al revés, como método anticonceptivo, porque cuando el chico se pone fastidioso, le recuerda a la mamá lo trabajoso que puede ser encargar otro hijo.

Otra cosa que se comparte al intercambiar experiencias con el resto de los mortales es la culpa, sobre todo en el caso de las madres, porque, hagan lo que hagan, siempre se sienten culpables. Así que al contar sus vivencias van disipando el sufrimiento. Y si el clima se pone intimista, hay que ver la de barbaridades que salen. Si les sirve de consuelo, cuanto más culpógena se siente la adulta, más feliz se pone el crío, porque para compensar ese sentimiento le da todos los gustos. Cuentan que una llevó al hijo a los juegos mecánicos, lo llenó de regalos y de dulces solo para darle la noticia de su divorcio.

Hay varias situaciones en las que las madres se sienten culpables:

- Cuando no estimulan al infante como deberían. El peque ingresa en el jardín sin saber leer y escribir, a diferencia del resto de sus compañeritos que parece haber estado practicando en la *nursery*.

- Cuando no supervisan todo lo que el bebé ve en la tele. Dejan el aparato clavado en el canal de los dibujitos mientras se van a bañar y entonces el mocoso se sienta encima del control remoto y hace *zapping*, pasando de las películas de monstruos al monstruoso noticiero.

- Cuando no inventan juegos para disfrutar con el hijo, por tener la cabeza quemada a causa del tránsito, después de manejar desde el laburo en Capital hasta la casa del *country* en las afueras… de la civilización.

- Cuando no llevan al peque a una actividad extraescolar. Hay bebés que van a natación desde chiquititos y ya aprendieron a darles respiración boca a boca a los padres cuando están agotados.

Los siete defectos más comunes de los padres y cómo disimularlos

Dice el refrán: "El que esté libre de pecado que arroje la primera piedra", siempre y cuando no se la dé en la cabeza del hijo. Si bien en el tema de la crianza nos volvemos bastante críticos de las generaciones pasadas, tampoco nosotros somos unos *Masters*, ni siquiera *Johnson*. Por tal razón, la *Guía* nos acerca una lista de los defectos más comunes de los padres y la manera de lidiar con ellos:

1) Montar en cólera

Con el estallido de ira nunca se consigue el resultado buscado: que el niño entienda que lo que hizo estuvo mal. Además, la furia rara vez guarda relación con la magnitud del acto cometido por el infractor, más bien es una manera de darle vía libre a la frustración. Un modo de evitar el ahorcamiento del infante es apartarlo de nuestra vista momentáneamente. Se lo puede mandar un ratito a lo de unas vecinas que se conocen por el nombre de *Las brujas de Eastwick*.

2) No poner límites

Los padres que se hacen amigos del hijo pierden autoridad sobre él. Además, les cuesta obligarlo a cumplir las reglas. La obediencia se consigue aplicando la lógica, el razonamiento conciso y también dando órdenes, previamente consensuadas con la pareja, que sean en beneficio del infante. Una forma podría ser la siguiente: "Andate a dormir ya, porque los niños se van a dormir cuando los padres lo dicen (aplicación de la lógica), si no, viene el cuco, te lleva a un lugar horrible y nunca más vas a volver a ver a tu familia (aplicación de la lógica más razonamiento conciso) y te doy un coscorrón (orden previamente consensuada con la pareja), y además el sueño es reparador y mañana cuando mami te levante para ir a la escuela vas a ver qué contento estás y cuánta energía tenés" (beneficio para el infante o, mejor dicho, para el jardín de infantes).

3) No escuchar

Quizás sea este uno de los errores principales de los padres. No escuchan a sus hijos, sobre todo cuando van en la parte trasera del auto, porque lo que dicen les parece largo, aburrido, incoherente e incomprensible. Sin embargo, les dicen a todo que "sí". Después se lamentan de haber consentido en que llevaran un cachorro de león a la casa. Como el niño sabe que la madre lo ignora, se pone a jugar con el conductor del auto de atrás: le saca la lengua, le hace pito catalán y corte de manga. El señor se limita a sonreírle, quizás lo salude, pero por dentro está pensando: "Mocoso, antes de mostrarme la lengua, lavátela con el cepillo de dientes que la tenés toda blanca".

4) Comparar a los hijos con otros

Los adultos tienden a rotular a los chicos: "Este es el inteligente y este otro es el vago", comentan. La comparación daña mucho la autoestima del niño y le provoca sentimientos hostiles. Una forma de combatirla es imitar a ese padre que, ante un hecho muy grave del hijo, le espetó: "Lo que hiciste no tiene comparación".

5) No cumplir las represalias

Es común que los progenitores, en un momento de enojo, les digan algo a los hijos que después les cueste cumplir. Eso es un desmerecimiento de su autoridad. Por esta razón, la amenaza debe ser realista y fácil de aplicar, como esta: "Si te seguís portando así, te voy a arrancar la cabeza a patadas", en vez de esta otra: "Te vas a quedar un mes sin computadora".

6) Hacer todo por ellos

A veces los padres no tienen paciencia ni ganas para esperar a que el niño se vista solo, por ejemplo. Además, ya saben cómo termina el chico: echándose todos los colores encima. Sin embargo, no permitirle al niño que ejerza la autonomía en los terrenos que va conquistando es perjudicial para su desarrollo. Entonces se le puede sugerir que, en lugar de cambiarse él, vista a un muñeco por un tiempito, hasta que adquiera noción del buen gusto y en la calle dejen de confundirlo con el payaso de Mc Donald's.

7) Evitar que los hijos se equivoquen

Si bien hay que permitir que el chico cometa errores para que aprenda de ellos, hay padres que tratan de evitárselos a toda costa, porque después se ven en el brete de arreglar el zafarrancho. Pasa que no le tienen confianza al pibe, porque es propenso a meter la pata. No se le puede pedir ni que cuide a un perro embalsamado. Es entonces cuando los adultos deben usar el criterio y concederle, aunque sea una vez, la posibilidad de asumir las consecuencias de sus acciones. Pueden llevarse una sorpresa grande al no terminar de entender nunca cómo se las ingenió para transformar la cocina en Sarajevo con solo haberse puesto a freír un huevo.

Tarea para el hogar: los deberes de los padres

Deber de cuidado: si se trata de un hijo matrimonial, su cuidado corresponde a ambos padres. Si se trata de uno extra matrimonial, su cuidado corresponde al padre o a la madre que no se cuidó durante el acto sexual.

Deber de mantener una relación directa y regular con el hijo: cara a cara o en los Tribunales cuando ambos padres se disputen la no tenencia.

Deber de crianza y educación: corresponde a ambos progenitores e incluye, además de alimentos, libros como este, para los padres.

Deber de corregir a los hijos: utilizando el método del tutor de caña o humano para que el ficus (del latín *niñus*) no salga torcido.

Deber de ejercer la patria potestad: autorizar al menor de edad a contraer matrimonio –o su equivalente, ingresar en las Fuerzas Armadas– a salir del país en luna de miel, a estar presente en el juicio de divorcio y a disponer de sus bienes hasta que el juez se expida sobre la división de los mismos: la bici, la casita de lona y el cocodrilo inflable.

Capítulo III

Portate bien o te doy...
a otros padres

Impartiendo disciplina o repartiendo bollos

Antes, para enseñar disciplina se usaba la leña, la zurra o la tunda, porque los padres eran bastante indígenas. Pero, en realidad, el niño no adquiere un patrón de conducta porque le peguen, sino porque lo internaliza y siente que al portarse bien es una personita más agradable para sus padres que cuando se comporta como *Daniel el Travieso*. Por lo tanto, las reglas para obtener un comportamiento deseable se deben transmitir con más amor que rigor. Y esto va tanto para los padres como para la escuela. También es necesaria una cuota de equilibrio e imaginación suficiente para que la incorporación de la pauta sea algo divertido. Por ejemplo: lavarse las manos antes de comer era un plomo (aún lo es), pero si al niño le daban sus propios jabón y toalla podía llegar a entusiasmarse. De paso, también los usaba para la boca, después de decir una mala palabra.

Lo que prevalecía en aquel entonces para que el chico obedeciera era encerrarlo en el cuarto, amenazarlo con ponerlo en un colegio pupilo, o avergonzarlo delante de la gente con el comentario: "Es un niño muy bonito e inteligente, ¡lástima que sea tan malo!". Con estos tres recursos, los padres no solo demostraban que tenían al hijo dominado, sino también que veían muchas películas de terror.

Como primera medida, es importante que la pareja se ponga de acuerdo en cómo va a guiar a los hijos en el camino de la disciplina. Para eso, debe unificar los criterios y no desautorizarse mutuamente en presencia del niño; de lo contrario, él aprovechará esa situación para enfrentarlos y, de paso, salirse con la suya. Entonces resulta que después los viejos terminan discutiendo por temas personales, mientras el nene sigue quitándole las plumas al lorito con la pinza de depilar.

A veces ocurría que la madre comenzaba a retar al niño, pero como no le hacía caso, le pasaba la posta al padre. Eso podía ser terrible si la posta la pasaba con el grupo familiar en movimiento, como en el caso clásico del matrimonio y los tres niños que salían a pasear en auto a dar la vuelta al perro, como se la solía llamar. Apenas arrancaban, los pequeños comenzaban a canturrear estrofas del tipo: "Chofer, chofer, apure ese motor, que en esta cafetera nos morimos de calor". De los cánticos saltaban al veo-veo, después arremetían con los empujones y terminaban a las patadas. Era entonces cuando la esposa del conductor de la cafetera entraba en ebullición y les pegaba cuatro gritos, pero como los pibes seguían igual, lo obligaba a intervenir al marido, que maldecía y repartía golpes a troche y moche, sin soltar el volante, claro. Cuando lo embocaba a alguno, la mujer le pedía que se calmara. Ahí nomás se ponían a discutir entre ellos, entonces él decidía pegar la vuelta si antes no se pegaba un palo con el camión que venía de frente.

De esta *road movie* de los setenta, pasamos a otra en la que el chico va sentado en el asiento de atrás de la 4x4 viendo una película en su reproductor de DVD portátil, mientras los papás charlan sobre sus cosas. Pareciera que no podría surgir ningún inconveniente, si no fuera porque el pibe se aburre enseguida y empieza a pedir que le compren algo. "Ma, ¿me comprás...?" es la frase que más escuchamos y es justo en este punto donde a los adultos les cuesta poner el límite, y para no frustrar al pedigüeño, lo consienten en todo. A lo mejor, porque recuerdan que cuando le pedían al padre cinco centavos, él les respondía: "¿Te pensás que soy Rockefeller?".

¿Cómo hacer para no pasar de la prohibición al "vale todo"? Para empezar, no hay que olvidarse de que estamos educando al niño para su bien y no para nuestro provecho. Si las prohibiciones lo desilusionan y el darle todo lo estropea, debemos calibrar lo que le brindamos. Por ejemplo: antes de una salida al teatro de títeres, podemos advertirle que vamos a ir a ver un espectáculo, pero que hay que hacer una cola muy larga para entrar. Quizás le pase que se sienta fatigado, hambriento y con sed durante la espera, pero hay que aclararle que todos esos puestos de panchos y gaseosas que va a ir viendo en el trayecto no son reales, sino un mero espejismo. Como gracias al cine el pequeño sabe que el oasis en medio del desierto se esfuma cuando el caminante se acerca a beber, se mantiene alejado de la comida, a ver si en una de esas sigue estando allí a la salida del teatro y, al final, le compran algo.

En este proceso de formación de esquemas de conducta en la conciencia del niño actuamos como modelos. Sin embargo, transmitimos más cuando nos bajamos de la pasarela, porque los chicos no nos imitan durante el desfile, sino en el *backstage*, que es cuando ensayamos para buenos padres y terminamos pareciéndonos a Los Simpson. No podemos soportar ver en ellos reflejado algo de nosotros que aborrecemos, como, por ejemplo, que el niño sea vago, que se meta en líos o que se tiña el pelo de azul para imitar a la madre.

Técnicas para poner límites

La norma debe ser clara y corta

Las explicaciones largas entorpecen la transmisión del mensaje. "No toques el enchufe", "no te metas el dedo en la nariz", o "no te pares sobre la silla" son consignas fáciles de asimilar. La consecuencia que resulte de no seguirlas –que el enchufe le dé una patada, que le sangre nariz, o que se caiga de la silla– es menos grave que la frase demoledora: "Te lo dije". Además, cuando el chico tiene que escuchar la de cosas tremendas que le pudieron haber pasado con solo rozar el enchufe, descarta, para el futuro, la carrera de Ingeniero electrónico.

Hay que ir al grano

En ocasiones los padres se dejan llevar por la diplomacia o las buenas formas y se olvidan de lo eficaz que puede ser un improperio para que el pibe pare de molestar, como, por ejemplo: "Dejate de romper los huevos". Eso sí hay que tratar de decirlo fuera del país, en alguno de Centroamérica, quizás, donde eso no signifique nada, como para un argentino escuchar que un mejicano reta al pibe llamándolo "hijo de la chingada"; podría creer que se refiere a que la falda de su mujer le queda más corta de un lado.

No es conveniente gritar

Siempre es mejor fijar el límite en voz baja, sin perder la cordura. Lo único que significan los gritos es que la persona está fuera de sí. Eso, muchas veces, produce risa en los más pequeños, porque creen que el nuevo tono de soprano al que llega la madre cuando la sacan de quicio no proviene de ella, sino de la ardilla Alvin.

Hay que aprender a decir que no y bancársela

Está comprobado que a muchas madres les cuesta negarse a darle algo al hijo. Quizá por el mambo no resuelto en su niñez, en el que sus progenitores directamente la ignoraban. Sea como fuere, a veces hay que hacer de tripas corazón y decirle al chiqui-tín que no. Convengamos en que nadie quiere niños consentidos ni que monten un culebrón mejicano en la vía pública, porque no le compramos el algodón de azúcar. Ya se sabe que la ver-güenza que una madre siente en ese momento es muy grande. Los tiempos han cambiado y ya no se felicita a una mujer que abofetea a la piel de Judas en el restaurante, porque se la pasó corriendo entre las mesas desde que llegó. Hoy se espera que la adulta pueda controlar al hijo, de lo contrario se la considera una mala madre. Lo que se aconseja —en el caso del restaurante y para evitar la condena social— es mirar al chico a los ojos y pro-ponerle un trato que, aparentemente, lo beneficie: que haga lo que se le cante. Lo importante es no dejar de clavarle la mirada mientras se lo está diciendo para que solo él perciba cómo a ella los ojos se le van poniendo rojos y empiezan a brotarle unos cuernos de la cabeza. Con esto se espera que el chico se perca-te de que está firmando ese pacto con el mismísimo diablo, lo cual significa que el poder de disfrute que se le concedió hoy, lo pagará mañana quedándose sin dinero, sin juventud, sin conoci-mientos y sin ver la última *Kung Fu Panda.*

Se puede adiestrar en el uso de las pautas

Es sabido que con los chicos no funcionan ni las advertencias ni las amenazas. En el pasado, un método eficaz fue echar mano del adiestramiento que se usó con los perros en la película *Los doberman al ataque.* Los animales obedecían las órdenes cuando el entrenador soplaba un silbato a distancia, porque tenían un dispositivo en el collar que captaba las ondas sonoras. En los chi-cos funcionaba así: el pibe estaba jugando con los amigos, pero llegada la hora de volver a la casa, dejaba el entretenimiento y se marchaba de inmediato, como un autómata. La razón era que lo llamaba la madre por medio de un silbato, cuyo dispositivo no se encontraba en el collar del niño como en los perros, sino incrustado dentro de su cerebro. Para seguir con los canes, hoy se utiliza el sistema de recompensas de golosinas (**ver capítulo 2, "Recompensarles los aciertos, pero no pasar por alto los errores"**) cada vez que el Scooby Doo hace algo bien, como saltar de alegría y ejecutar una pirueta cuando vienen visitas.

Los berrinches: una bomba de fabricación casera

Entre las conductas negativas de los niños se encuentra el berrinche, que es un enojo seguido de llanto, gritos y patadas en el piso con el fin de llamar la atención de los adultos y de todo el barrio. A veces proviene de una causa justificada, como la prohibición de comer un chupetín antes de la cena, y otras, se origina por combustión espontánea: la familia está por salir y, de pronto, "La antorcha humana" decide quedarse a incendiar la casa.

Las rabietas se manifiestan en niños de uno a tres años. Puede ser que este comportamiento sea un modo de obtener beneficios a cambio. O quizá lo hayan visto en la familia, sobre todo en aquellas que suelen perder los estribos fácilmente. Sea como fuera, hay que controlar al caballo salvaje para que vuelva a civilizarse y a comunicarse con los humanos como lo hacía *Mister Ed*.

En ocasiones, estas conductas se pueden evitar anticipándose a los hechos. Por ejemplo: si Albertito tiene dificultades para destapar un frasco de mayonesa y vemos que, luego de reiterados intentos, comienza a ponerse colorado y a enojarse, el padre puede mostrarle un pajarito que se posó en la ventana, mientras, disimuladamente, le afloja la tapa, así cree que lo hizo él. Ya se sabe que los niños tienen baja tolerancia a la decepción. Otra estrategia es vigilar que no se pasen de rosca cuando están involucrados en algo divertido, porque la sobreexcitación genera cansancio, pero, a su vez, ellos no desean abandonar el juego. Y ese *mix* de emociones es un cóctel molotov. Si están en plan de lucha, una salida será proponerles una guerra de almohadas, aunque distinta de la de las películas en la que la familia salta sobre la cama sacudiendo los almohadones en cámara lenta hasta llenar la habitación de plumas. Acá es dos almohadonazos y un *knock out.*

Si el berrinche se produce entre cuatro paredes, la *Guía* desaconseja el zarandeo. En su lugar propone alejar al niño de los Tramontina. Mientras le persista el enojo, hay que proferirle palabras de comprensión y de amor que lo hagan sentirse seguro, igual que en las películas el detective bueno lo hace con el asesino (menos la parte en que lo agarra de los pelos y le mete la cabeza dentro del inodoro). También se le puede proponer una salida como esta para sacarlo de ese estado: "¿Qué te parece si nos lavamos la carita y nos vamos un rato a lo del psiquiatra?". Si, por el contrario, la rabieta ocurre en público, hay que apartarlo de la gente para que no vean ellos cómo el niño nos zarandea a nosotros. Antiguamente se reclamaba la intervención del policía de la esquina para que lo retara, pero hoy encontrar a uno no es fácil. En su lugar, se puede apelar a un extraño que lo intimide con su presencia, pronunciando el famoso "¡mirá cómo te mira el señor!". Y si no hay ninguno a mano, es necesario recurrir a la improvisación y decirle: "¿Ves ese árbol de ahí? Esta noche va a crecer tanto pero tanto que sus ramas van a romper el vidrio de tu ventana, para entrar en tu cuarto y atraparte" (no importa si la escena es original o extraída de *Poltergeist*). Y por último, nunca hay que ceder al capricho del niño, ni castigarlo después, ni mandarlo a vivir a otro planeta como habíamos pensado. Se aconseja, en cambio, tener una buena charla en la que quede bien claro que ese comportamiento violento es de un marciano, más precisamente de Rocky Marciano.

Las malas palabras

En nuestra infancia, las malas palabras eran "guerra", "hambre" y "violencia", como nos decían los viejos, y no aquellas que ellos utilizaban para vejarnos. Entonces no se explica por qué nos obligaban a lavarnos la boca con jabón después de que pronunciábamos una de esas, como dijimos anteriormente.

Hoy los chicos las aprenden de la televisión, ya que no hay restricciones en cuanto a su uso y abuso. Lo importante es no escandalizarnos ni festejarlo cuando escuchamos alguna. Del mismo modo, hay que explicarles que las malas palabras son insultos. Y que si están enojados y necesitan expresar la furia lo más apropiado es utilizar un término de sonido similar, como "la pucha digo" o "miércoles". Así, cuando el chiquitín esté ofuscado dirá: "La *pucha* de mi vieja no me viene a buscar al cole ni un *pucho* día".

Algunas palabras escatológicas no son intencionales, sobre todo en los más pequeños, cuando, por ejemplo, dicen "pedo" refiriéndose al "perro", porque les cuesta pronunciar la erre. Eso sí, hay que evitar reírse a carcajada limpia en frente de ellos, porque enseguida descubren la implicancia y comienzan a utilizarlas con picardía en cualquier lugar, como en las veterinarias, por ejemplo, por el olor a "pedos" –pronúnciese *perros*– que hay.

De chicos, durante la lectura en voz alta, a muchos nos gustaba ver rabiar a los maestros cuando, a propósito, separábamos los vocablos para que sonaran a groserías, como, por ejemplo, vehí-*culo* o cuadrú-*pedo*. El docente engranaba y ahí nomás empezaba a retarnos, mientras nosotros nos hacíamos los inocentes, hasta que nos mandaba a la dirección y era el fin de la dis-*puta*. Hoy en día los chicos son un poco más vivos y no dicen palabrotas en presencia de los mayores, porque conocen otros medios donde difundirlas como el *chat* y el *twitter*, a los que los adultos no pueden acceder, al menos que descifren la *fucking* clave.

Las mil y una noches sin dormir

Nada altera más a los padres que los chicos se rehúsen a ir a la cama. Se cree que dilatan ese momento, porque le temen a la oscuridad y a las pesadillas, y además quieren seguir jugando. Algunos también tienen miedo de mojar las sábanas. Sea como fuere, cierta cantidad de horas de sueño son necesarias para que el chico no tenga dificultades en su desarrollo físico e intelectual, como así tampoco en el aprendizaje si es que ya va a la escuela. También a los padres les urge dormitar alguna que otra vez, aunque solo sea involuntariamente, porque se les cierran los ojos.

Así como la falta de descanso incide sobre el carácter del niño, también afecta los nervios de los padres. Una característica de los adultos pasados de sueño es la irritabilidad; la otra, el sonambulismo, o sea, permanecen dormidos mientras caminan, preparan el desayuno y visten a los chicos para el colegio. De la mezcla de estas dos características proviene el mito de no despertarlos abruptamente, a riesgo de que queden como los muertos vivos de *Thriller*, el video de Michael Jackson.

A pesar de que los pibes no usan reloj, saben exactamente cuándo se aproxima el momento de irse a dormir, por una serie de rituales que lo van anticipando: el baño, el pijama y una madre que se les acerca amenazándolos con el palo de amasar. A partir de allí empiezan a dar vueltas y a poner un montón de excusas para que no les apaguen la luz. Por eso, los adultos les compran veladores giratorios con dibujitos que se reflejan en la oscuridad. A veces también les permiten llevar una linterna a la cama y mantenerla encendida hasta que terminen de meterse adentro, o les prenden una velita nocturna; esto último es desaconsejable, justamente porque entraña el peligro de que pasen la noche en vela.

Se sugiere no realizar juegos altamente estimulantes cuando llega la hora de ir a dormir, como la lucha cuerpo a cuerpo que propone el padre a último momento por no haber jugado más temprano. El niño termina colorado, excitado y despabilado; el viejo, con ACV (Arruinado Cervicalmente).

Cuando los hijos son bebés, los adultos utilizan algunas artimañas para provocarles el sueño, como, por ejemplo, sonajeros, móviles y cunas musicales. Pero a medida que crecen, los sonidos dejan de surtir efecto y son reemplazados por la presencia humana. Los libros sobre crianza aconsejan que el adulto solo acuda al llamado del insomne parcialmente, no de cuerpo entero. Eso es traspasándole una mano a través de los barrotes de la cuna o alcanzándole a "Dedos", en caso de que habite en la mansión de Los Adams. También le aconsejan que evite por todos los medios quedarse dormido al lado del hijo, a pesar de que se sienta más agotado que un atleta después de cruzar el Pacífico a nado.

Imaginemos cómo sería el relato de un niño –llamémosle Juancito– que no tuvo contención materna por las noches.

Para empezar mi mamá nunca me cantó el arrorró ni me arropó. Una tía que vivía con nosotros me contó que, cuando era bebé, me dejaba chillar entre veinte y treinta minutos y jamás me espió para ver si había parado porque estaba dormido o porque me había ahogado con mi propio llanto. No me paseaba ni me daba palmaditas en la espalda, porque decía que después los chicos se acostumbran y se vuelven unos delirantes, digo, unos demandantes. A los seis años, le tenía miedo a la oscuridad, pero mi mamá me ordenaba que me durmiera pronto, de lo contrario me iba a venir a buscar el soldado sin cabeza. Una noche tuve un miedo terrible después de haber visto El monstruo de la laguna Negra *en "Sábados de superacción". Se lo dije a mi vieja, pero igual me apagó la luz y me dijo, como todas las noches: "Que sueñes con los angelitos". Además, me cerró la puerta de la pieza, y la de ella, con llave, justamente para que no le entrara el monstruo. A la madrugada me desperté todo transpirado después de una pesadilla y con una sed terrible, pero no me animaba a despertar a mis viejos ni loco, así que hice como Jimmy, mi perro, y tomé el agua del inodoro. No me podía volver a dormir, entonces se me ocurrió contar ovejitas. Empezó a aclarar y me quedé frito en el corral.*

La hora de dormir sigue constituyendo un problema para grandes y chicos. Se ha probado con formarles rutinas, como la de llevar un muñeco a la cama todas las noches, a la misma hora y después de cenar. También con canciones y cuentos y hasta con palabras tiernas que los induzcan al estado alfa, como estas: "Cuando termine de contar hasta tres y chasquee los dedos, caerás en un sueño profundo". Sin embargo, esta *Guía* brinda la fórmula para que los niños se vayan a la cama sin conflicto, y no es difícil de aplicar. Eso sí, requiere de cierta perseverancia. Se trata de que toda la familia haga el simulacro de irse a dormir a la misma hora que el chico, porque a los pibes, a partir de los tres años, les da rabia que los demás permanezcan despiertos mientras ellos deben ponerle fin a la diversión. Es más, piensan que se están perdiendo de algo. Antes de irse cada cual a su cama, pueden realizar algunos ejercicios de relajación, como el de hiperventilar unas cuantas veces, que en ocasiones ayuda a que los pibes caigan desmayados. Si esto no ocurriera, los mayores deberán simular ronquidos y soplidos (que sean escuchados desde la habitación del nene) para que la escena del sueño colectivo sea más real. Pero nunca hay que dormirse del todo, y menos, antes que ellos, porque se corre el riesgo de que los pequeños lo intuyan, se levanten y organicen una *Baby party* en el garaje.

La siesta

Si había un momento en nuestra infancia que se consideraba sagrado, era la hora de la siesta. La diferencia es que era sagrado solo para los viejos, no como hoy que lo es para los chicos. Por ejemplo, el pibe está fuera de control, patea los muebles y les pega a los padres. ¿Por qué? Porque no durmió la siesta. Menos mal que a la noche descansa bien, si no, directamente, sale a destrozar autos estacionados.

La siesta era un recreo que los mayores se tomaban después de almorzar, para juntar energías y continuar con el trabajo más tarde. Los hijos, mientras tanto, tramaban travesuras. Los varones salían a la calle a apuntar con la gomera a todo lo que se moviera, y eso parece que incluía las ventanas de los vecinos, porque terminaban siempre con un vidrio roto. Las nenas, en cambio, eran menos revoltosas; sin embargo, se constituían en las autoras intelectuales del crimen. Por ejemplo, pensaban en cómo escaparse de la casa, casarse con el chico que les gustaba y después rodar la película *Melody*.

Durante la hora de la siesta, que a nadie se le ocurriera despertar a los viejos, porque se armaba la de San Quintín. Por nada del mundo se podía entrar en la pieza, ni aunque a uno lo picara una serpiente y para salvarse necesitara el suero que estaba allí dentro. Es más, era preferible morir por la mordedura del reptil a que te alcanzara el cinturonazo del vertebrado.

A pesar de que la siesta era un tiempo muerto o detenido, algunos chicos con inclinaciones creativas lo utilizaban para empezar a desarrollar lo que después sería su futura profesión: la medicina. Y lo hacían jugando al doctor. Seguramente, los padres, que tienen un sexto sentido y duermen con un ojo abierto, intuían que algo de eso estaba pasando y entonces se despertaban de sopetón y ahí nomás empezaban a repartir patadas, porque los padres eran así: primero pegaban y después preguntaban. Como se ve, eran bastante contradictorios: si hacíamos ruido se enojaban, pero, si permanecíamos en silencio, entraban en pánico.

La siesta perdió todo el significado ancestral y hoy, como se dijo anteriormente, son los hijos quienes la duermen, principalmente los bebés. Es en esos momentos en los que la madre se debe cuidar de no hablar en voz alta, sobre todo si quiere aprovechar esa corta interrupción de la vigilia para tomarse un respiro. A veces hasta organiza un té de amigas, pero las obliga a todas a hablar bajito, como si estuvieran afónicas, para no despertar al crío. Cuando el chico comienza el colegio, la mamá cambia de actitud y ya no lo incentiva a dormir por la tarde, porque quiere que a la noche se acueste temprano. Así, si el pibe llega de la escuela muerto con la intención de tirarse un ratito, ahí nomás le enciende un taladro. Algunas justifican esta actitud afirmando que el chico debe descansar las horas reglamentarias para rendir mejor. Esto es una verdad a medias, como muchas de las que se inventan los progenitores para beneficiarse.

Lo que propone la *Guía* es que no se alteren cuando el simulacro caiga del lado del hijo, que llega de la escuela, agotado, va directamente al cuarto, se sienta al escritorio con una pila de libros delante (que harán las veces de almohada) y finge que estudia mientras se echa una siesta de aquellas, igual a la que se echaban sus abuelos.

El colegio: una etapa para olvidar

Para la mayoría de nosotros la escuela significó una etapa amarga de la vida que lo único que nos dio de bueno fueron los amigos. A pesar de que le pusiéramos pila, era un garrón levantarse a las siete de la mañana, abandonar el calorcito de las sábanas y subirse a un micro que, hasta arribar al colegio, nos paseaba por todo el barrio, dando ochocientas mil vueltas en busca de los demás compañeros. Es que en esa época no existían los transportes con el cartelito atrás con la leyenda: "¿Cómo manejo?" ni los GPS. La vieja nos sacaba de la cama a las trompadas, porque siempre nos quedábamos remoloneando y llegábamos tarde. Tomábamos el café con leche volando y, como no había tiempo de lavarse los dientes, íbamos muy tranquilos por la vida desparramando un vaho a pozo ciego cada vez que respirábamos. Adentro de la escuela sonaba la campaña o el timbre, que nos terminaba de despertar o nos rompía los tímpanos. Acto seguido se procedía a formar fila, tomar distancia y saludar a la bandera. Si alguno hablaba durante la formación, se lo retiraba a un costado. De allí, nos dirigíamos al cuartel, en aquel entonces llamado "aula". El mobiliario consistía en pupitres que nos mantenían derechos como soldados y si alguno quería huir se le incrustaba un clavo en la nalga. Luego, empezaba la clase. Cabe aclarar que en esa época solo el docente portaba armas. La más poderosa era su lengua de látigo.

El recreo –que debía ser el tiempo de juego y divertimento– estaba condicionado por la mirada del docente, que nos impedía correr. Lo hacía por nuestro bien, ya que la maestra era considerada una segunda madre: igual de mandona que la primera. De todas maneras, ya muchos teníamos grabado a fuego las palabras de nuestra progenitora: "No juegues a lo indio que se te va a romper el taparrabos, digo, el delantal".

La educación estuvo basada en el aprendizaje de memoria. Debía ser porque, si usábamos la cabeza, ni locos hubiéramos incorporado esa sarta de conocimientos ilógicos como, por ejemplo, "¿A qué velocidad vuela el mosquito?". Se creía que si a los niños les gustaba lo que aprendían, no iban a retener un comino. Todo lo contrario de lo que acontece en nuestros días, en los que la maestra debe buscar recursos cada vez más creativos para impulsar al alumnado a que se instruya, como el de ponerse una camisa transparente y un corpiño rojo debajo.

La enseñanza culminaba a fin de año con un paseo por la granja, así el chico iba viendo lo que se esperaba de él en el futuro: que fuera peón de campo, por ejemplo. También se visitaban fábricas, para ver si a alguno se le despertaba el interés por convertirse en operario. Tampoco faltaba el Planetario y la central eléctrica, por si alguien de grande seguía sosteniendo la fantasía de ser astronauta y quisiera anotarse en el casting de *Apolo 13*.

Cuando nos pedían un trabajo práctico en equipo, la maestra aprovechaba para abandonar el aula e irse a hacer algo divertido, como pintarse las uñas. Mientras tanto nosotros jugábamos a la guerra de tizas, aunque no todos, siempre había un aplicado que prefería realizar la tarea encomendada. Lo que pasa es que en esa época no se estudiaba por responsabilidad, sino para que los maestros y los padres no nos rompieran el alma. Otra travesura era dibujar algo en el pizarrón que causara risa, como la cara del director con el cuerpo de un chancho. También se acostumbraba a escribir, en la lista de los ausentes, nombres de alumnos ficticios, para comprobar si el maestro era tan gil de pensar que a su clase asistía Margarito Tereré.

Si bien los progenitores no tenían la participación de hoy en el ámbito escolar, de tanto en tanto se los mandaba llamar para contarles cómo iban evolucionando los hijos. Si el chico presentaba algún problema grave de aplicación o conducta, el docente hacía el llamado extensivo al médico, al sacerdote y hasta al jefe de los *boys scouts*. Muchas veces al niño le iba mal en el colegio, porque no se le había detectado un problema de sordera o en la vista. Por esta razón, hoy se realizan audiometrías y estudios de visión a muy corta edad, así se descubre tempranamente si el chico es minusválido o vago. A otros les iba mal, porque los viejos le explicaban la tarea como el cuyanito o porque, directamente, se la escribían ellos en el cuaderno, sin tomar la precaución de falsear un poco la letra para que la docente no lo notara. Pero cuando los descubría, les ponía un cero a ambos. De todos modos, el bajo rendimiento escolar del niño se solucionaba mandándolo a lo de un maestro particular, en el caso en que hubiera recursos económicos para contratarlo. Así, mientras algunos llegaban del colegio y se disponían a tomar la chocolatada y a disfrutar del tiempo libre, los alumnos del profesor Jirafales tomaban el cuaderno y se preparaban para ir a la clase particular.

Hoy se cree que el fracaso en la escuela está condicionado por la falta de estímulo. El chico viene del Ipod y el Mp3 y se encuentra, igual que en la Edad de Piedra, con el pupitre, el pizarrón y la tiza. Para eso se quedaba en la casa dibujando bisontes en las paredes. Otra causa es la falta de empatía del docente, que no comprende que el niño sea una monada en la casa y en la clase se porte como la mismísima mona.

En algunos aspectos, la educación no cambió un ápice. Se siguen impartiendo conocimientos fuera de la realidad del chico; se sigue requiriendo la participación de los padres, quizás, más que antes; y continúan las sanciones, con la diferencia de que se castiga más al docente. Contrariamente al pasado, en el que se creía ciegamente en el maestro, nadie iba a dudar de que le tomara al chico en la lección oral un tema que no hubiera explicado antes. Si no lo sabía, era porque, mientras la exposición transcurría, él había estado jugando a pasarse el compás entre los dedos, y si se descuidaba un segundo, terminaba amputándose una falange.

Los padres compartimos con los chicos ese sentimiento de aburrimiento por tener que asistir a clase, aunque tratamos de disimularlo buscando buenos motivos para alentarlos a estudiar, como, por ejemplo: "Es importante que vayas al colegio, así cuando seas grande podés seguir estudiando", que es justamente lo que el pibe no quiere hacer, pero, a falta de ideas, buenas son las frases hechas. Igual él crea su propio recurso para sobrellevar el calvario: no bajar de las nubes.

Siguiendo con el pensamiento original de que la escuela debe ayudar al niño a madurar al brindarle un entorno adecuado donde él pueda desarrollarse intelectualmente y emocionalmente y además incorporar nuevas pautas de disciplina y adaptación, la propuesta de la *Guía* es implementar la educación virtual. Así el chico podría pasárselo de lo lindo, estudiando desde la casa. Solo asistirá al colegio de tanto en tanto para sociabilizar. Y no porque necesite del contacto directo con otros individuos –que además lo obtiene vía *chat*–, sino para no olvidarse de cómo es un ser humano de su edad en perspectiva. El docente pasaría a ser virtual también –igual que ahora, que no existe– y trabajaría desde su computadora supervisando y corrigiendo el trabajo de los alumnos. Vendría a ser un teletutor o *teletubbie*. De todo esto resultará un chico verdaderamente motivado con el estudio, que puede ingresar en la sala virtual cuando tenga ganas –ya que no hay horario para conectarse– encontrar a sus compañeros y, en conjunto, entablar un debate sobre el trabajo que les encomendó el profesor o, en su defecto, sobre sexo. Luego, cada uno le dejará la tarea en el buzón del docente y esperará a que le llegue al suyo la contestación, con el mismo entusiasmo que mostraban Tom Hanks o Meg Ryan –según sea el caso– en *Tienes un e-mail*. Los padres estarán mucho más aliviados al librarse de asistir al colegio a cada rato por los problemas del hijo y solo deberán supervisar, de vez en cuando, que el niño esté realmente estudiando y no haciéndose fan de una página web sobre la marihuana.

Sonó la campana

Domingo recuerda cómo era la escuela cuando él era chico:

Para mí el colegio fue siempre un garrón. Entré en primer grado llorando, porque quería quedarme con mi mamá. La señorita no me podía despegar de ella, entonces vino la directora y me arrancó de un tirón. Yo me quedé con un pedacito del vestido de mi vieja y fue suficiente para usarlo de trapito y dormirme hasta que se hiciera la hora de la salida.

No me gustaba ir a la escuela, yo quería jugar a la pelota. Como no aprendía a leer, me mandaron al gabinete psicopedagógico y ahí descubrieron que tenía dislexia, por eso no daba eip cno labo (léase pie con bola). Después lo corregí y alcancé el nivel de un tartamudo.

Me gustaba mucho el fútbol y nadie entendía por qué. Pero bien que cuando fue el Mundial 82 mi viejo y mi hermano no hacían más que mirar los partidos, en vez de seguir la Guerra de las Malvinas; y eso que teníamos un primo soldado. Pero los viejos siempre niegan todo, ¿viste? La cosa es que no sabían qué hacer conmigo para que agarrara un libro. Bah, mi viejo sí sabía: cuando llegaba el boletín, me molía a palos. También me decía que él hacía mucho sacrificio para que yo fuera a esa escuela, y se lo pagaba así. No sé a qué se refería porque era una escuela pública, libros no me compraba y la ropa me la había pasado mi primo (el excombatiente), porque se usaba lo camuflado.

Las excursiones de la escuela me embolaban. Una vuelta nos llevaron al Congreso Nacional y en un momento los varones empezamos a las piñas, más o menos como hacen los políticos ahora, pero en esa época no salías por la tele. Mi vieja siempre me decía que no tenía que agarrarme a las trompadas. Ah, y que prestara atención en clase, así no tenía que estudiar en casa. Es que mi vieja me daba buenos consejos, el mejor era cuando antes de salir para la escuela me gritaba: "¿Llevás pañuelo, Mingo?". Porque el pañuelo te salvaba, ¿viste?, sobre todo, cuando tenías diarrea y no había papel.

De los maestros tengo una imagen difusa, no tenía onda con nadie. Solo me acuerdo de una vez que los gastamos a todos en el acto de fin de año cuando los imitamos mientras cantábamos la canción de Pink Floyd, esa que dice: "Hey, teachers, leave them kids alone!". Ese año, al final, repetí y mi mamá me dijo: "Cuando tu padre se entere, va a arder Troya". Así que por las dudas me escondí adentro del caballo. Pero mi viejo cuando se enceguece por algo no ve nada, así que miraba al caballo y seguía gritando: "¡Es un burro, es un burro!".

¿Es un avión? No, es *Superboy*

A menudo los padres piensan que un niño prodigio les salvará la vida, porque con su talento y su gran inteligencia les hará ganar millones. Imaginan que se convertirá en un Mozart y dará conciertos, con apenas cinco años. Sin embargo, las cosas no son tan sencillas, porque desde el momento en que el chico descubre que es especial, comienza a tomar a todos para el churrete. Para empezar, a los padres, a quienes siempre hace quedar mal delante de las visitas cuando le piden la tocata y él se fuga.

En el colegio, no hay profesor que lo aguante. Con solo seis años resuelve complejos problemas de cálculos y sabe más que el docente, a quien descalifica cada vez que puede. Los otros niños lo ven como un bicho raro, sobre todo porque tiene la mitad de su edad y está en la secundaria; también por la cara de hámster. Cada dos por tres, los padres deben acudir al llamado del director para informarse de que el chico es un arrogante y que, de seguir entorpeciendo la labor del docente, tendrá que ponerse a dar clase él. Los adultos no pueden creer que su suerte se transforme en una desgracia. Y están deseando que al mini-Mozart le agarre amnesia parcial y se convierta en un Wuachiturro.

Si las ambiciones de los padres con respecto al futuro del hijo son desmedidas, pasan a exigirle el doble de lo que puede rendir. Le ponen maestros especiales de idiomas, o de música, o de la Bolsa de Comercio. Algunos le contratan un ajedrecista famoso que esté a su altura, porque a ellos les gana hasta jugando a la bolita. Incluso conversando utiliza términos que los adultos desconocen, porque el chico tiene como libro de cabecera al *Diccionario de la lengua española*.

Otro problema de los padres es cómo ponerle límites, debido a que el sabiondo siempre se las ingenia para salirse con la suya. Por este motivo, no deben olvidar nunca quiénes son los padres y quién es el hijo, y aunque el chico porte la inteligencia de Leonardo Da Vinci, no le permitan pilotear el avión, que se conforme con visitar la cabina, ponerse la gorra del comandante y pronunciar el *speech* de bienvenida a bordo con mejor fonética que la azafata.

Cómo manejarse con los superchicos para no cometer errores

Una vez que la familia fue informada por el especialista de que su hijo posee un coeficiente intelectual superior al de un pájaro y al de un avión, debe ayudarlo a sobrellevar esa realidad. Estas son algunas pautas de la *Guía* para seguir:

• Prestar atención en qué área de la educación el niño se destaca (música, poesía, dibujo, matemáticas, etc.) y ayudarlo a desarrollarla. Llevarlo a lugares donde pueda aprender. Si su inclinación es por el arte, meterlo en un museo y dejarlo tocar y manosear las pinturas, hasta que el guardia de seguridad lo saque carpiendo.

- Motivarlo para que no se aburra, a través de cosas que le llamen la atención: "Cuando vengas a la clínica, te voy a dejar manejar el tomógrafo".

- Estimularlo para que se relacione con la gente, porque muchas veces el superchico se aísla al no encontrar una persona de su mismo nivel para charlar. Por ejemplo, se le puede concertar una cita con un escritor importante para que el niño le firme un autógrafo.

- Programarle actividades extraescolares para compensar todo lo que se aburre en el colegio. Así, mientras otros chicos van a jugar al fútbol después de clase, él va a lo Bruno Gelber a tomar lecciones de piano, siempre y cuando pueda concentrarse en las teclas y no en las cejas del concertista.

- Ponerlo en contacto con otros superchicos para que no se sienta solo o raro. Pero, cuidado, porque esto le puede provocar cierta competencia y, a lo mejor, termina siendo peor el remedio que la enfermedad, ya que, al compararse con un niño de su misma edad y habilidad (pongamos, uno de siete que es cirujano), podría comprobar que el otro ya operó a un paciente, mientras que él aún practica la medicina aplicando inyecciones a una naranja.

Consejos para tener éxito (o cualquier otro papel) en la escuela

Esta es una lista de consejos útiles para que el niño promedio pueda atravesar la enseñanza primaria con una buena *performance:*

- Comprarle una mochila con control remoto para no arruinarle la espalda con el peso de los ladrillos que lleva por útiles.

• Programarle una visita al pediatra en horario de clase para que vea que hay algo todavía más desagradable.

• Hablarle bien de la maestra, que este año, justamente, es la tía.

• Sugerirle que pueden conseguirle una copia de los exámenes, pero que deberá pagarla con su sueldo de hijo. Este gasto desalienta hasta a los hijos de Steve Jobs. El resultado es que se pondrán a estudiar, los padres, claro.

• Visitar la escuela para ver si las aulas son austeras en instalaciones por el método Montessori o porque: *"Sorry*, estamos en el medio del *monte"*.

• Asegurarse de que el chico no llegue nunca tarde a clase, aunque la madre deba salir a los piques para llevarlo, incluso con el camisón debajo del tapado.

• Involucrarse en actividades escolares, como, por ejemplo, la de compartir su especialización laboral con el grado, para pispiar un poco cómo se comporta el docente en presencia de una mujer en camisón.

• Supervisar que el chico realice la tarea mientras está haciendo una cosa divertida, como ver la televisión.

• Empujar al hijo a que se rebele contra el sistema de disciplina, el esfuerzo y el estudio, para que después sea elegido como estrella del *rock* en el *concert* de fin de año.

Capítulo IV

El juego, el diálogo y las palabras cruzadas con los padres

Abrir la puerta para ir a jugar o para mandarse a mudar

El yo-yo, el balero y el tiqui-taca eran algunos de los juegos que nos mantenían entretenidos en la infancia, siempre y cuando no nos sacáramos un ojo con ellos. Hoy la oferta es mayor, porque todo ha sido reproducido *on line*, a través del videojuego, así que la nena que no posee una Barbie original, puede verla en la computadora y hasta en 3D, para que no le queden dudas de que es toda de plástico.

A través del juego se fortalecen los lazos familiares y se prepara al pequeño para que se desarrolle, se comunique y comprenda el mecanismo de funcionamiento de la realidad. Así como los padres les enseñan a los hijos disciplina y normas de convivencia, también deben estimularlos a que jueguen para que descubran el placer de compartir por medio del contacto con el otro, aunque deberá pasar mucha agua bajo el puente hasta que entiendan que no pueden llevarse a la casa la palita y el balde del compañero con quien jugaron en la plaza. Los chicos, primero, tienen que adquirir suficiente confianza sobre sus pertenencias, sentirse seguros de que los chiches estarán siempre allí para ellos para cuando los quieran usar y no encontrarse una mañana con que el caballo balancín desapareció, porque la madre se lo regaló a un primito o, lo que es peor, lo recicló para que adornara el living como arte kitsch. Del mismo modo, deben concientizarse de que los dulces que se coman o conviden serán repuestos en otro momento. Recién entonces estarán en condiciones de entender lo que es de ellos, lo que significa compartir y lo que se puede sustituir.

Cuando son bebés es fácil entretenerlos, porque el adulto se ubica a su lado, le muestra una mano y le canta: "Qué linda manito que tengo yo", o lo agarra del mentón y le dice: "Ajo, ajo". El lactante lo mira absorto y se pregunta cuánto más tendrá que soportar al hombre de cromañón. Para colmo, para evitar que el crío llegara al mundo en el ambiente frío y despersonalizado del hospital, la madre decidió tenerlo en la casa, por parto natural, como en la época de las cavernas. Así, no es de extrañarse que el primer juguete del nene sea un peluche de dinosaurio.

Es de suma importancia que los chicos compartan un tiempo de juego con los padres y que los adultos se tomen unos minutos al día para escucharlos inventar historias de las cuales son partícipes. En el pasado, la madre siempre estaba demasiado ocupada para entretenerlos y el padre trabajaba y volvía muerto después del laburo. Entonces, había que esperar a que llegara una tía o el padrino para volverlos locos un rato. Los más grandes se alegraban con alguna visita a la que podían exhibirle sus dotes artísticas, como la de tocar el tambor en medio de una charla.

Los chicos reclaman la intervención del adulto en los juegos, porque todavía no hay nada en el mundo comparable a la compañía de mamá y papá. Además, es fácil vencerlos con trampa. El progenitor, en su fuero más interno, sabe que está perdiendo el tiempo, sobre todo cuando pasa tres horas levantando una torre de ladrillos y viene el peque y se la tira abajo de una patada. Pero no hay que afligirse, sino tener en cuenta que el niño está ejerciendo su libertad de expresión para cuando, de grande, deba patear el tablero.

Sabemos de la importancia del juego y de la poca voluntad y tiempo con los que el adulto cuenta. La pregunta es la siguiente: ¿cómo no defraudar al niño u ocasionarle un daño por rehusarse a vestirse de Gatúbela y jugar a los superhéroes? La respuesta viene de la mano de la *Guía* y consiste en darle un hermanito. Pero antes de anunciar la noticia, hay que preparar la estrategia. Muchos padres usan la frase: "Mamá va a darte un hermanito", que se entienda con esto que se trata de un chiche y no de un *Terminator* que va a venir a destrozarle las muñecas que se llamen Sarah O'Connor. Antes del nacimiento, se lo puede invitar a que participe en la elección del segundo nombre, porque el primero ya se sabe que es Abel. Una vez que ha nacido, se debe involucrar a Caín en el cuidado del bebé desde sus primeras horas de vida; y responsabilizarlo de todo lo que le suceda al chiquitín de allí en adelante. Para eso es necesario incluirlo en la alimentación, en la higiene y en el sueño del bebé y, en este punto, aclararle que nunca hay que colocarle una almohada sobre la cara cuando está dormidito. A medida que crezca irá cumpliendo con la misión para la que fue concebido: entretener al primogénito. Y el *quetejedi* se sentirá muy feliz junto a un compañero al que puede mandonear. Le pedirá que le alcance el vaso de la mesa o le ordenará secar el baño después de ducharse, entre otras cosas. Además de esclavo, lo utilizará de campana para que le avise si vienen los padres cuando esté jugando a arrancar el empapelado de la habitación o escupiendo desde el balcón a la gente que pasa. A pesar de los hostigamientos, el chiquitín lo idolatrará al punto de creer que no hay nadie en el mundo más lindo, ni más inteligente, ni más vivo que su *Gran hermano*. Mientras tanto, el primogénito aprovechará para jugar con él a todo lo que se le ocurra; pero, ¡cuidado!, que eso puede incluir el juego de la Orca.

La otra cara de los juegos

Si bien es cierto que el niño disfruta cuando triunfa en un juego, a veces no se trata solo de vencer al adversario, sino de ganar la batalla contra uno mismo. Por ejemplo, dos amigos se juntan para nadar y nace el desafío de quién aguanta más la respiración debajo del agua. El ganador no tendrá en cuenta a quién venció, sino cuál fue su tiempo récord. Luego lo anota en una libretita junto con otros torneos caseros en los que participó, como el de estirarse los dedos de la mano hacia atrás como si fuera un contorsionista. Cabe aclarar que estos pasatiempos nunca hay que realizarlos delante de personas impresionables, como los padres, sino dentro del grupo de *Los increíbles*.

Otra práctica del niño es proponerse ganar un juego en solitario para obtener algo bueno a cambio. Por ejemplo, imagina que si encesta la pelota en tres tiros, obtendrá un felicitado en la prueba de matemáticas que le tomarán el lunes. A pesar de que está solo, trata por todos los medios de no hacerse trampa. Al final, le resulta más fácil ponerse a estudiar.

Los chicos tienen por costumbre engañar a los adultos, porque no soportan ser aventajados por ellos y mucho menos, perder. Los padres preocupados por esta tendencia se preguntan si es hereditaria o la sacaron de *La gran estafa*. Lo importante es desestimar la cuestión, porque se trata de una etapa por la que atraviesa el colorado de once. Y la irá superando no bien los adultos dejen de hacer hincapié en ella. Al final, prevalecen las buenas actitudes que la familia les transmite a los hijos, porque ya lo dice muy claramente el refrán: "La casa siempre gana".

Los juguetes y los niños

Antes de comprar un juguete hay que tener en cuenta cómo es el niño (hiperquinético o pachorro), qué habilidades maneja (si camina o "regatea") y, sobre todo, asegurarse de que no nos acompañe a la juguetería. De lo contrario, será imposible arrancarlo de allí y que además se conforme con la pavadita que le íbamos a regalar.

A los recién nacidos los atrae la manta con estímulos, que vendría a ser como una frazadita donde se acuesta al bebé boca arriba para que se entretenga manipulando las texturas y las formas multicolores que hay allí, además de los móviles que cuelgan de unas varillas. Es muy práctica porque se la puede trasladar adonde sea que la madre vaya y no es necesario que se eche al lado del crío a jugar, porque el niño queda obnubilado con las tramas que ve cada vez que se lo acuesta, más o menos durante dos segundos y medio. Hay que saber que a esta edad a los niños no les importa la calidad de los juguetes, sino la cantidad. Por eso, es importante proveerse de un buen arsenal didáctico. Y nunca olvidarse de que esta es la etapa oral, en la que el peque se lleva todo a la boca para probarlo, masticarlo, tragarlo y, luego, ser trasladado, en ambulancia, a la guardia médica para que le extraigan el juguete del cuerpo. Los doctores dicen que están acostumbrados a ver casos de menores que se tragaron monedas y que, de grandes, trabajan en el circo como tragasables.

Entre los dos y los tres años se divierten con los bloques, los carros y los encastres que les regalaron al año y recién ahora los pueden hacer coincidir con la forma. También es la etapa del triciclo y de la pelota. Algunas madres los dejan pintar con acuarelas o témperas, aunque después deban limpiar el enchastre, porque adoran colgar las obras de arte que dibujan sus hijos en la puerta de la heladera. En esta etapa nunca hay que olvidarse de preguntarle al artista qué es lo que dibujó, porque el adulto jamás la emboca. Suele alabarle el avioncito y resulta que era un rinoceronte con casco; y todo en la misma mancha. Los primeros dibujos del niño son como el Test de Rorschach: cada uno interpreta lo que se le canta.

Nunca deben faltar los juguetes flotantes para llevarse a la bañera, ya que a esta edad el niño no se baña si la higiene no se encara como un juego. Los psicoanalistas dicen que las pistolas de agua, al escupir líquido por el orificio, les sirven para encontrar una analogía entre el arma y su pene. Así, el infante que está aprendiendo a controlar esfínteres estalla de contento al poder chorrear las paredes del baño libremente y que no lo obliguen a embocarla, como cuando va a orinar. Algunos pacifistas se oponen al uso de las armas de juguete, por considerar que incitan a la violencia, pero lo que no saben es que si a un varón no se le da una ametralladora, igual se pone un colador en la cabeza, agarra una cuchara de madera y dispara, pero eso no quiere decir que en el futuro se convierta en un Chef Guevara.

Si bien los juguetes fueron evolucionando, algunos padres no lo hicieron a la par y hay quienes todavía piensan que, si un varón juega con muñecas, de grande va a ser bailarín de ballet. No se da el mismo caso en las nenas que se entretienen con autos; nadie supone que al crecer se dediquen a las tuercas, como Carola Casini.

Cuando éramos chicos, nuestros padres nos estimulaban para que encontráramos un entretenimiento que no fuera caro, que bien podía ser el de agarrar las sillas de la cocina y arrastrarlas por el piso simulando autitos. Aunque había una pista con autos de verdad, esa era para que jugara el papá y además estaba guardada arriba de un ropero muy alto, lejos del alcance de los niños, como los bombones de regalo. En alguna ocasión especial (si venía un amigo del interior), el viejo, para presumir, sacaba la Scalextric. Era entonces cuando teníamos la oportunidad de ver una carrera en acción, siempre bajo la amenaza paterna de "se mira y no se toca", o de dejarlos a ellos emocionarse con el automovilismo como si estuviera compitiendo Fangio, mientras nosotros nos subíamos a un banquito y nos engullíamos los bombones.

Hoy, en cambio, la premisa es que el niño disfrute con los chirimbolos que se le regalan, que, en general, los pide cuando los ve aparecer en las publicidades. Nada de juguetes creativos como los de antes, en los que el imaginador utilizaba diarios para armarse una pelota. Los juguetes modernos suelen ser a pilas, con control remoto, o telepáticos porque resulta que un pibe lo ve por la tele y se lo comunica mentalmente a otro.

El inconveniente más grande con los juguetes es que el tiempo de concentración del pequeño dura muy poco y el adulto debe echar mano a otro recurso y a otro más para mantenerlo siempre entretenido. Por este motivo, la *Guía* aconseja dejar de exprimirse el coco y de vaciarse los bolsillos con la adquisición de juguetes nuevos, caros y complicados, como esos rompecabezas que para armarlos hay que llamar a Bobby Fisher. Tampoco ofrecerle *tuppers* o cacharros para que cocine como la madre ni las herramientas del padre. Lo mejor es darle algo muy novedoso que lo involucre y sacie su curiosidad como lo son las pertenencias de los adultos, porque no hay nada en el mundo que al infante le interese más que hurgar en lo ajeno. Un día puede ser la cartera de mamá; otro, la mesita de luz de papá. Quizás la fascinación que guardan estos objetos se deba a que fueron largamente prohibidos por sus usuarios. Por lo tanto, conservan un halo de misterio muy particular para el toquetón. Además, tanto la cartera como la mesita de luz, son inocuos y contienen un sinfín de porquerías que hacen las delicias de grandes y chicos, al permitirles investigar juntos y que el tiempo se les haga chicle con el disfrute. La mejor parte de todo es la de sorpresas que se llevan los mayores cuando se topan con el elemento de uso personal que vinieron buscando infructuosamente meses atrás y consideraban perdido y que –gracias a permitirle satisfacer la curiosidad al peque– pudieron encontrar. El único inconveniente es que lo encuentran tarde, cuando el niño ya utilizó los preservativos como globos para realizar la figura de una espada.

Jugar con la imaginación no tiene precio, por suerte

A medida que el niño crece, comienza a jugar más con su imaginación, lo cual es un gran alivio para los padres, porque deja de jugar con la de ellos. Así, si la madre encuentra al pequeño hablando solo en su cuarto o retando a los muñecos, no debe ni alarmarse ni pensar que se trata de su *Sexto sentido*, sino alejarse y dejarlo expresar sus emociones. Al escucharlo increpar al peluche, la progenitora se dará cuenta de cómo lo reta ella al chico, ya que el pequeño solo la está imitando. De esta forma comprobará si lo hace correctamente o como lo haría "la bruja del 71".

Echando mano a la fantasía, el niño transforma su realidad en juego: el tenedor con comida es un avión, los fideos en la sopa son botecitos y la marca del jugo en su boca representa unos bigotes. También juega al vendedor y cliente, ocupando él los dos papeles. De esta manera, se entretiene bastante, a la vez que da salida a sus exaltaciones.

Debido a la importancia del juego, los terapeutas de niños utilizan esta herramienta para curarlos de algún conflicto afectivo. Veamos el testimonio de Gabriela, para la revista *Vivir para contarla*. Ella visitó el primer consultorio de una psicóloga a los seis años y dice:

Cuando era chica, mis papás me llevaron a lo de una psiquiatra porque, después de que se divorciaron, yo me volví una niña muy temerosa. La doctora me hacía jugar con mi imaginación para sacarme los miedos. Recuerdo que una vez le dije que yo sería la profesora de inglés y ella mi alumna, pero resulta que la tipa empezó a pronunciar como si se hubiera recibido en Cambridge, mientras que yo era una egresada de Yale (de la casita del insecticida Yale). Otro día me hizo hacer figuras de niños y niñas en plastilina, pero desnudos, y yo me resistía a colocarles los órganos sexuales porque me daba pudor. A partir de eso, les pidió a mis padres que se bañaran conmigo para aflojar la inhibición. Solo le faltó pedirles que juntos fumáramos opio, ya que estábamos en la época del Flower Power y se confiaba mucho en la homeopatía.

Después de un tiempo, me empecé a sentir mucho mejor con el tema de los miedos y le pedí a mi mamá que no me mandara más a la doctora, sino al Lenguas Vivas, porque allí, aparte de darle a la sin hueso, como en terapia, aprendés a hablar inglés mejor que los psicoanalistas".

Además de método de descarga y de curar problemas emocionales, el juego simbólico ayuda al chico a madurar y a encontrar su vocación en el futuro. Por eso, es tan importante que goce de ese tiempo y espacio para manifestarse y proponerse distintos entretenimientos que le permitan desarrollar las características necesarias para representar variadas ocupaciones, oficios o profesiones. Por otro lado, al recurrir a su propia inventiva, no necesita tanto de la presencia de los adultos ni de otros niños. Recordemos las sabias y acertadas palabras del reconocido psicólogo suizo Jean Le Pifiét, quien, en su obra *La formación del limbo en el niño,* afirma: "Niño solo bien se lame".

El diálogo en la familia: ¿Hola? ¿Hay alguien ahí?

Aparte de fomentar el juego como forma de comunicación, la familia debe estimular el diálogo, porque las palabras son el vehículo de las ideas, de los sentimientos y de las emociones, que pueden llevarnos tanto a buen puerto como a una isla desierta, en el caso en que el único interlocutor viviente sea otro loro como nosotros. Para que el diálogo ocurra es necesario crear un microclima donde prevalezcan las buenas actitudes y el deseo de conversar y de escuchar al otro. Muchas veces los padres y los hijos hablan diferentes idiomas, por lo tanto, el canal de comunicación se obstruye y el mensaje no llega o llega distorsionado. Por esta razón, es importante que ambas partes sintonicen el *handy* en el mismo canal, y así no se transforme en el teléfono descompuesto.

La comunicación empieza desde antes del nacimiento, cuando la madre le habla a la panza, la acaricia y le pone auriculares para pasarle música. Una vez que el bebé nace, el intercambio se vuelve más armonioso, porque ahora el pequeño puede contestarle con sonidos, en lugar de patadas. Sumado a las palabras, existe el lenguaje del cuerpo, que se manifiesta cuando la madre toma contacto con el niño al bañarlo o al cambiarle los pañales. Pero el bebé, todavía, es un poco pequeño para responderle de la misma manera, o sea, babeándose cada vez que la toca. En su lugar, utiliza el piquete de ojos o el rasguño, pero también es su forma primitiva de expresarle amor.

Recién cuando el niño entra en posesión del lenguaje, aprende a exteriorizar sus sentimientos a través del habla. Por un lado, están los que no paran más y conversan hasta por los codos. Interrogan a los padres, los interrumpen y los fastidian con sus fantasías. Al tiempo, los adultos comienzan a distraerse, o a pisarlos en el discurso, o simplemente se ponen a hacer otra cosa y los dejan divagando solos. El nene vive esta actitud de los grandes con zozobra, al pensar que lo que tiene que decir no es importante. Sin embargo, en lugar de acortar sus monólogos para no abrumar a la gente, busca un extraño que le sirva de oreja. Es entonces cuando una apacible abuela que estaba tomando un café, mientras su nieta jugaba en el pelotero, cae en sus redes. Sucede que los acosadores textuales son muy simpáticos a primera vista, por eso la gente les da bolilla. Pero cuando, finalmente, el oyente se da cuenta de que cometió un error al haberle prestado atención al pequeño Stalin, es demasiado tarde y es muy posible que ya lo tenga sentado a su mesa pronunciando un discurso.

Por el otro lado, hay niños que tardan en hablar o hablan mal, y alrededor de los dos o tres años aparece el tartamudeo. Antes se pensaba que este problema provenía de la zurdera, o sea de tratar de corregir al que escribía con la mano izquierda. Hoy, los especialistas comprendieron que no proviene de la zurdera, sino de la sordera de los padres. La dificultad en el lenguaje se origina por varias causas, como la tensión que siente el pequeño frente al nacimiento de un hermanito o a un viaje de los progenitores. Por tal razón, se aconseja, primero, relajarse y después escuchar al niño expresar sus emociones, aunque se demore en armar las frases. Y, por sobre todas las cosas, se encarece a los adultos no anticiparse a lo que el niño quiere decir apenas pronuncia la primera sílaba, porque si hay algo que empeora la tartamudez es la ansiedad. Si el peque detecta que lo apuran, va a empezar a utilizar el lenguaje de señas: dedo mayor de la mano en alto para mandar a todos a freír churros.

Sacando el caso extremo del parlanchín compulsivo o del pequeño que tartamudea, hay que admitir que los padres no son muy tolerantes con las historias que les cuentan los chicos. Quizás porque son lentos al hablar, les falta ilación o les preguntan a ellos cosas que desconocen y no les gusta pasar por ignorantes. Por esta razón, la *Guía* les arrima una serie de propuestas para escuchar a los chicos sin defraudarlos:

- No moverse en la silla de un lado al otro, como si tuvieran el mal de San Vito.

- No mirar ni al suelo ni a los costados. Hacer contacto visual con el hablante y abrir los ojos muy, muy grandes, como muestra de interés, que no se confunda con hipertiroidismo.

- No terminarle las oraciones. Darle tiempo a que ponga, alguna vez, él un punto final.

- No sentarse a escribir la lista del súper, en el caso de ella, ni la de los gastos del mes, en el caso de él.

- Tratar de no poner cara de desorientados y evitar preguntar ¿cómo? o ¿qué?, a cada rato.

- De tanto en tanto asentar con la cabeza, pero nunca de costado, como si se estuvieran durmiendo.

- Evitar comerse las uñas, agarrarse un lado de la cara con la mano o mover nerviosamente los dedos sobre la mesa, para no dar la impresión de que están esperando a que el interlocutor termine.

• Mantener una postura corporal abierta. Nunca cruzarse de piernas ni de brazos, pero sí cruzar los dedos para que la exposición termine rápido.

Pensamientos de un chico de antes sobre la comunicación en su familia

En casa, no charlamos en la cena, ¿será porque papá dice que hablar con la boca llena es de mala educación?

Por más que mis viejos no me hablen mucho, siempre me están diciendo que soy la "alegría del hogar". ¡Oia, tenemos una planta a la que llaman igual!

Para mí que mamá pone el noticioso mientras comemos, así papá no le echa la culpa de que la comida le cayó mal.

Cuando vienen los amigos de papá a jugar al póker, siempre me preguntan lo mismo: cómo me va en el colegio. Y yo tengo ganas de contestarles: "Hagan sus apuestas".

A mí me gustan las visitas, porque practico los pasos que aprendo en danzas españolas, y se tienen que tragar todo el repertorio. ¡Y olé!

A mi primo que se fue a vivir a Flecha Negra le escribo cartas que echo en el buzón de la esquina, pero me imagino que le van a llegar el Día del Arquero.

Quiero que nos pongan el teléfono fijo, para que no tengamos que hacerle un regalo al vecino cada vez que nos presta el suyo.

Todo lo que pienso lo grabé en un casete TDK, que se autodestruirá en veinte años.

Los derechos del niño
para que no salga torcido

• Derecho a tener una vivienda digna y propia: la casa del árbol.

• Derecho al amor y a la comprensión de los vecinos a los que les pide la pelota cuando se le cae.

• Derecho de tener su propia identidad y no la de los padres.

• Derecho a la vidurria.

• Derecho a la ¡salud!, brindando en Navidad con un poquito de sidra.

• Derecho a la libertad de asociación o a la asociación libre.

• Derecho a la desinformación que le da la tele.

• Derecho a la educación y a disfrutar de los juegos, sobre todo de esto último.

• Derecho a una alimentación saludable que incluya los combos de Mc Donald's.

• Derecho a la adopción… de otros padres si no le gustan los propios.

• Derecho a expresar sus opiniones en la salida con los progenitores y a escuchar ofertas.

• Derecho a no ser obligado a trabajar (ayudar a preparar la chocotorta, lavar el triciclo o alimentar a los peces).

• Derecho a tener un nombre. Ni "cielito", ni "negrito", ni ocho cuartos.

Capítulo V

Ante las enfermedades de los chicos, ¿cómo reaccionan los enfermos de los padres?

Un pediatra por aquí

Llama la atención cómo se modernizó la sala de espera del pediatra. Del cuadro de la enfermera pidiendo silencio, se pasó al póster de lo que piensa el hijo sobre el padre según pasan los años (ver recuadro, pág.72) hasta el simulacro de salita de juegos que se armó hoy, donde conviven en armonía un sonajero teléfono, al que le faltan todos los botones, con una jirafa mecedora de plástico, que alguna vez fue amarilla, y unos ladrillos gigantes, también de plástico, que parecen provenir de una obra en demolición. No se puede entender cómo, a pesar del estado deplorable en que se encuentran los juguetes, hay niños que se pelean por ellos. Pero está comprobado que el chico, a muy corta edad, se interesa por lo que quiere el otro, aunque todavía es muy temprano para denominarlo "envidia".

Las madres se ponen a parlotear sobre remedios y enfermedades de moda, como así también sobre el último pediatra que visitaron, mientras el niño espera acurrucado entre sus piernas. Al escuchar su nombre en labios del doctor, exclama: "¡Vámonos a casa!". Es entonces cuando el médico debe aplicarle la psicológica: saludarlo dulcemente y contarle algún que otro chiste malo para que el peque entre en confianza y en el consultorio también, claro.

Luego de preguntarle a la madre sobre el porqué de la visita, examina al pachucho, lo ausculta y le obsequia una paleta de madera por haber sido tan buenito de haberle mostrado la garganta sin morderlo. Y aunque también se dejó examinar los oídos, el aparato ese no se lo regala, porque es muy caro.

Mientras le da el diagnóstico a la madre y las indicaciones de cómo debe tomarse el antibiótico, el engripado se distrae con una cajita de muestra gratis que encontró sobre el escritorio. También se pone de pie para subirse y bajarse de la balanza. Como se puede observar, el niño se toma todo a la chacota, menos la parte en que debe recibir cinco gotitas frías en los oídos cada ocho horas, más el Ibuprofeno cada cuatro, y el Termofren, cada cuatro, también. Es entonces cuando no hay juego que valga y la madre, desesperada por no poder cumplir con su misión de enfermera, exclama: "Andá, que te cure Lola".

Un padre según pasan los años

A los 4 años:
Mi papi es un dios.

A los 5:
Mi papi es un sabio.

A los 6:
Mi papi es un crack.

A los 8:
Mi papi no tiene por qué saber tanto, después de todo, es humano.

A los 10:
En la antigüedad, cuando mi papi era chico, había dinosaurios.

A los 13:
Papá no sabe nada de esto. Es demasiado mayor como para acordarse de cómo era de bebé. Además, no existía la fotografía.

A los 15:
No le hagas caso a mi papá. Es más antiguo que el Partenón.

A los 17:
A veces me pregunto cómo pudo mi viejo sobrevivir sin haber terminado el primario.

A los 21:
¿El viejo? Es un colgado, para mí que fuma crack.

A los 25:
Creo que mi padre sabe algo de esto. Es lógico, pues él ha vivido desde el Paleolítico.

A los 30:
Tal vez debería consultar con mi viejo para ver qué piensa. Él tiene mucha experiencia en las cuestiones a.C. (antes de la Computadora).

A los 40:
No voy a hacer nada antes de consultar con el viejo: si quiere ir a tierra o a urna.

A los 50:
Me pregunto cómo habría manejado esto mi papá. A lo mejor puedo hacer contacto con él y preguntárselo en una sesión de espiritismo.

A los 55:
Ahora que se murió me doy cuenta de que era un dios, un sabio y un crack.

La operación de garganta

Diálogo entre una madre y el niño que se va a operar de la garganta, en aquella época en que estaba bien extirparle las amígdalas, a ver si así se callaba un poco.

–El martes vamos a ir al doctor para que te saque el dolor de garganta.

–No, yo no voy.

–¿Por qué?

–Porque no quiero.

–Pero si no vas, te va a seguir doliendo mucho.

–¡Qué me importa!

–Ah, entonces aguantátela y después no te vengas a quejar.

–¡Pero tengo miedo!

–¿De qué?

–De que me dé una inyección.

–No, eso es cuando te portás mal.

–¿Y qué me va a hacer, entonces?

–Nada. Te sentás en una silla, el doctor te pone una máscara y...

–¿Como la de Batman?

–No, como la de la Bella Durmiente.

–No quiero.

–Bueno, como la de Batman, está bien.

–¿Y voy a poder jugar?

–No, porque vas a estar dormidito. Pero cuando te despiertes, nos vamos a casa.

–Está bien, pero ¿después me comprás un regalo?

–Sí, tres kilos de helado.

El nene tiene ADD y los padres ADT

El déficit de atención (ADD) es una afección médica que se detecta en el niño cuando se mueve más que un enfermo de Parkinson en un terremoto. Generalmente se manifiesta durante la etapa escolar, en la que la maestra no encuentra una manera de que el peque permanezca sentado y preste atención, que no sea la de atarlo a la silla.

Los chicos que padecen de este mal son hiperactivos, eufóricos y se brotan con facilidad. Además, no pueden esperar ni siquiera su turno en un juego. A veces, a este comportamiento se lo confunde con ansiedad; por eso, el diagnóstico lo debe realizar un médico. Recién podrá afirmar que se trata de ADD cuando después de citar al pequeño indio en su consultorio y atenderlo dos horas más tarde, como es la costumbre, la sala de espera le haya quedado convertida en las ruinas de Chichen Itza.

Para tratar este trastorno se necesita de la participación de un grupo de especialistas que trabaje en equipo: un fonoaudiólogo que, primero, evalúe que el chico puede hablar correctamente, pero no contesta las preguntas que se le formulan porque no se le canta; un oftalmólogo para ver si no copia del pizarrón porque es cieguito o porque lo sentaron detrás de un cabezón; un psicopedagogo que tranquilice a los padres, diciéndoles que todo es relativo, ya que hasta Einstein tuvo ADD; y, finalmente, un psiquiatra para que arribe a la conclusión de que el déficit de atención del niño es heredado del déficit presupuestario de los padres, quienes le deben tres meses de honorarios.

Escuchemos el relato de una madre que convivió varios años con un niño con el síndrome de ADD, el desorden neurológico vulgarmente conocido como "culo inquieto".

Fermín era un chico que no podía estar sentado ni un segundo. Se ponía a trepar un árbol y al rato estaba trepándonos por la cabeza. En el colegio le iba peor que al Chavo del 8. Las maestras me decían que no prestaba atención y que además siempre estaba molestando a los compañeros, aunque lo hacía "sin querer, queriendo". En la desesperación fui a ver a una bruja (mi suegra) y me dijo que al chico le hacía falta mano dura. Pero no le hice caso y fue el pediatra el que me sugirió que tal vez mi hijo sufría de ADD. Él me derivó a un psiquiatra, que después de evaluar a Fermín, lo empezó a medicar. Es increíble cómo el nene cambió desde que toma la pastillita, está hecho una seda. Pasó de ser Jaimito a Ñoño. Con mi marido estamos profundamente agradecidos al doc que le hizo los estudios y descartó enfermedades poco cool como el mal de San Vito. Hoy a Fermín le va fenómeno en el colegio y ya no les pega a los compañeros. Es un chico normal, como cualquier hijo de vecino, que se lleva todas las materias.

Mejor el remedio que las enfermedades de ayer

- **Raquitismo:** afección que no tenía que ver con la flacura, sino con la falta de exposición al sol. Se trataba con la lámpara ultravioleta, porque aún no se había inventado la cuna solar.

- **Tuberculosis:** enfermedad cuyos síntomas eran la fiebre y la palidez, y se caracterizaba por la inapetencia. Se curaba con reposo y apagando la tele cuando pasaban *La dama de las camelias.*

- **Sífilis:** infección que el infante la adquiría a temprana edad, más precisamente cuando el padre lo llevaba a debutar al prostíbulo. Una forma de prevenirla era quedándose en la casa mirando *Las gatitas y ratones de Porcel.*

- **Paludismo:** un mal que producía fiebre, chuchos de frío y anemia. La transmitía un mosquito infectado de un palúdico; por lo tanto, no se sabía qué era primero, si el huevo o el mosquito.

- **Peste bubónica:** padecimiento que provocaba que el peque se volviera un bobo. El bacilo que la producía vivía en los compañeros del colegio y en otros roedores. Por suerte, se erradicó cuando en las aulas implementaron la fumigación.

Cómo combatir los virus de hoy

- **Paperas o enfermedad de Quico:** se caracteriza por la hincha-zón de las glándulas salivales y pelótidas, cuando a los varones les baja a los testículos. Se cura poniendo paños de agua fría en las zonas afectadas y no hinchando las pelótidas.

- **Ictericia:** es un proceso patológico que se identifica por la colo-ración amarillenta de la piel del recién nacido, porque se le subió la bilirrubina, como a Juan Luis Guerra. No hay que preocuparse porque se le va sola, no bien empiece a escuchar otra música.

- **Otitis:** inflamación del oído seguida de dolor. Para aliviarlo, mien-tras el doctor a domicilio no llega porque es domingo y está en un asado, se le puede dar calor con la mano, con un trapito o con la mantita eléctrica, siempre cuidando que la oreja no le quede como la de Van Gogh.

- **Diarrea:** alteración de las características de las heces provoca-da por un virus, por lo menos, eso dicen los médicos cuando no saben. Una manifestación clara de esta afección es que el niño va muchas veces seguidas a evacuar. Se cura con dieta y evitando que el niño se ría.

- **Varicela:** enfermedad que empieza a declararse con sarpullido y una comezón que corre hacia la espalda, como si al niño le hubieran puesto una laucha dentro de la camisa. Luego le sigue por la cara. Lo más importante es que no se rasque ni se arran-que las cascaritas para, en el futuro, no parecerse a Scarface; tampoco que empiece a sacudirse y a dar vueltas en círculo en el piso, como si fuera Curly, el de los *Tres Chiflados*.

Capítulo VI

Educación sexual: ¿se puede hablar de lo que no se habla?

Cigüeñas, repollos y otros rollos

En el pasado, hablar de sexo con la familia era tabú. Por un lado, los padres trataban de evadirse de las preguntas de los hijos sobre cómo venían los bebés al mundo, diciéndoles que nacían de un repollo. Por el otro, la escuela apelaba a la fecundación de las flores para explicar la reproducción de los humanos. Por lo tanto, mientras las chicas tenían miedo de embarazarse de un vegetal, los chicos pensaban en que cada polución nocturna que dejaban en las sábanas era una rosa menos en el mundo.

Cuando el varón descubría, por un amigo más vivo, que los adultos tenían sexo para concebir, se sentía muy decepcionado, además de darle un poco de vergüenza sobre todo si se ponía a pensar en cómo lo habían creado a él. Al mismo tiempo, su imaginación aumentaba, entonces buscaba revistas con escenas eróticas, enciclopedias con esculturas griegas, o fotos de los padres en la Bristol de Mar del Plata. Si los adultos lo pescaban, lo mandaban a confesarse. Las chicas, en cambio, buscaban bibliografía *quenchi* en la biblioteca familiar y se topaban con *La impura*, de Guy Des Cars, que, lejos de ser una novela porno, evocaba la vida de una mujer con una enfermedad en la piel.

A pesar de las restricciones de la época, siempre había un padrino piola o una maestra que les aconsejaba a los progenitores tomar la curiosidad del hijo como algo natural, en vez de hacer de ello un escándalo del *sexgate*. Es común que, a cierta edad, los niños comiencen a explorar su cuerpo y el de los amiguitos, con intenciones pedagógicas, en su afán por establecer las diferencias de género. También suelen dar un paso más adelante y terminan acostándose uno al lado del otro (o encima) sin ropa. Pero no es motivo de alarma, aunque cuando éramos chicos tal escena significaba la vergüenza y deshonra de la familia y nos mandaban a vivir a la isla Martín García, donde iban a parar todos los que, igual que nosotros, se habían quedado como Dios los trajo al mundo. El testimonio de Silvia, una mujer que pasó su niñez y adolescencia en el exilio mental, es un ejemplo de ello.

Mi mamá era muy cerrada y nunca me explicó nada sobre sexo. Si yo le preguntaba alguna cosa, se hacía la distraída. A los seis le pregunté por dónde salían los chicos y me contestó: "Por la puerta". A los once me dijo que me iba a venir el período y que tuviera cuidado, porque si me acercaba mucho a un chico podía quedar embarazada. Igual por eso no había problema, porque en el colegio ya nos habían separado a las nenas de los varones y estábamos en distintas prisiones, digo, divisiones.

Cuando íbamos al campo con la familia, mi vieja —por miedo a que perdiera la virginidad— no me dejaba andar a caballo. Al final, la perdí con un cerdo: mi primer novio. Después me metí con otro muchacho más bueno. Cuando salía con él, mi mamá siempre me vigilaba, pero yo no me daba cuenta. Por ejemplo, íbamos al cine a apretar, claro, y en un momento mi vieja salía de la pantalla, como el actor de La rosa púrpura de El Cairo, y nos separaba. Y cuando llegábamos a casa de una fiesta, a la madrugada, y yo lo invitaba a pasar un ratito para despedirnos, de repente, se prendían todas las luces, como en los baños inteligentes, ¿viste?, y yo pensaba: ¡cagamos!, porque ahí nomás aparecía mi mamá en camisón, carraspeando, y lo echaba a patadas.

Por suerte, el tema de cuidarme me lo explicó una amiga. Sus viejos, que eran reliberales, le habían hablado de la anticon-

cepción y hasta la dejaban tener relaciones en la casa, por si la asaltaba alguna duda. A mí, en cambio, nunca me dijeron ni jota, y si me hubiera guiado por la descripción que un día nos dio la de Naturales con una lámina que mostró en la clase, habría tenido quintillizos.

¿De dónde vienen los niños, de París o del *Kamasutra*?

La forma de encarar la curiosidad sexual de los niños sigue siendo un problemón. Una ola de calor recorre el cuerpo de los padres cada vez que el picarón formula una pregunta *hot*. A los chicos no les interesa saber cómo creció la semilla dentro de la panza de mamá, sino cuántas posiciones del *Kamasutra* tuvieron los padres para llegar a eso.

Los niños son bombardeados con escenas eróticas todo el día, a través de la televisión, de los carteles y de las revistas con minas que se encuentran en exhibición en los kioscos. Para contrarrestar tanto desnudo, la *Guía* aconseja distraer la atención del pequeñín cuando esté frente a la tele y mandarlo a hacer algún mandado. Así lo implementó un adulto que estaba con el hijo viendo *Bailando por un sueño*, para que el muchachito dejara de babearse con las colas de las *vedettes*. Pero, lamentablemente, le salió el tiro por la culata, valga la redundancia. Le pidió que le trajera unos Camel de la máquina expendedora del kiosco, a lo que el chico preguntó: "¿Cuáles son los Camel, papi, esos que tienen un hombre en el camello con el pito parado?". Como se ve, no hay forma de eludir las cuestiones sexuales, porque lo abarcan todo. Así que lo mejor es abordarlas con madurez y sin hacernos los dromedarios. Y siempre tener en cuenta que el niño siente la necesidad imperiosa de explorar su cuerpo –si puede, el de la vecinita también– en busca de respuestas. Lo más importante es que después de semejante aventura no se prenda un Camel.

Otro tema delicado es el de la masturbación. Los adultos odian pescar a la hija de siete años en una escena comprometida, como la de estar besándose con un pingüino de peluche. Lo mismo les pasa si encuentran al hijo utilizando un almohadón para cabalgar. Sin embargo, no deben encresparse como si los hubieran sorprendido en una orgía, porque tanto el pingüino como el almohadón son inocentes. En cuanto a los niños, solo están liberando tensiones; no tiene nada de raro y lo mejor es que, la mayoría de las veces, estas prácticas suceden en la intimidad. ¿Qué pasaría, si en su lugar, se lo hicieran a una visita, como lo hace el perro cuando viene alguien a la casa y se le cuelga de la pierna? La forma en que los adultos reaccionan ante estas demostraciones de los menores incidirá en su futuro comportamiento sexual. Para no crear individuos temerosos, reprimidos, o culposos hay que dejarlos expresar su instinto con libertad y sin amenazas. De esta manera, encontrarán que el sexo es algo deseable, que les sucederá algún día, cuando se enamoren, pero que aún falta un montón. Primero, tienen que terminar el preescolar.

Si en lo referente a las preguntas sexuales que los chicos formulan, los padres también se relajan un poco y contestan con la verdad, la curiosidad del pequeño estará saciada y no tendrá que recurrir a otras fuentes de información para obtener datos, casi siempre deformados, sobre la realidad. Por este motivo, es conveniente adelantarse al abordaje de ciertos temas con los que el chico convive, como, por ejemplo, el travestismo, y que pueden traerle conflicto, sobre todo cuando al pasar cerca de un varón vestido de mujer se lo queda mirando, como si hubiera visto… un varón vestido de mujer. La pregunta es la siguiente: ¿cómo ser amplio de mente y explicarle que ese comportamiento no tiene nada de malo, pero al mismo tiempo desalentarlo para que el día de mañana ni se le ocurra intentarlo? La *Guía* sugiere una transacción con el hijo. Se le puede formular una frase como esta: "Nene, escuchame bien lo que te voy a decir: cuando seas grande, si vas a usar pollera, que sea porque te fuiste a vivir a Escocia".

Claves para hablarles a los chicos
sobre sexo y que nos entiendan

- No referirse al órgano sexual masculino como pitulín, o pirulín, o pitilín. Mejor llamar al pan, pan, y al pito..., pito.

- Evitar los eufemismos para referirse al embarazo, como, por ejemplo: "A Susanita le llenaron la cocina de humo".

- Explicarles a las nenas que es natural que la regla venga una vez al mes y que provoque dolor, como la factura de su celular.

- No utilizar la misma frase para referirse a dos partes del cuerpo distintas, como, por ejemplo, "pene chiquito" en alusión al clítoris y al órgano sexual masculino... del padre.

- Cuando la niña pregunta: "¿Mami, me puedo casar con papá?", no desalentarla advirtiéndole que eso es "incesto", sino que él puede resultarle un insecto.

- Si el niño pregunta: "¿Cómo se hacen los bebés?", contarle toda la verdad, incluida la parte del acto sexual, pero no decírselo en la cara, sino a través de un video casero en el que los padres aparezcan con el rostro fuera de foco y con la voz distorsionada.

Capítulo VII

Tipos de familia: volver a las fuentes o tirarse con los platos

La familia: ¿un refugio o un campo de refugiados?

"No hay nada más lindo que la familia unida", pregonaban *Los Campanelli*, allá por los años setenta, mientras se amontonaban alrededor de los tallarines a disfrutar de un domingo de fiesta. La serie televisiva reflejaba el estereotipo de familia de la realidad de entonces, que, comparada con una oficina, funcionaba así: el padre hacía de jefe; la madre, de secretaria; y los hijos, de cadetes. Cuando surgía algún problema con uno de sus miembros, se le echaba la culpa a la falta de infraestructura.

Veamos un ejemplo: Víctor Hugo pintaba para vago, pero su familia no se sentía responsable. A lo sumo, el padre lo ayudaba con las cuentas. Sin embargo, al chico no le gustaba estudiar, sino tocar la guitarra. La madre lo apañaba porque creía que el niño tenía un don para la música, aunque para el resto de la familia fuera un don nadie. La historia continúa con el pequeño convertido en un hombre frustrado, porque en la casa no había infraestructura, o sea, ni plata para un buen profesor y menos para una Fender. Pero un día el fracasado metió guitarra en bolsa y se puso a trabajar, igual que el padre, en algo que no le gustaba. Después encontró una novia, se casó y prometió no repetir lo mismo con sus futuros hijos. Y así construyó una familia diferente, la que aún conserva, que es el refugio contra los vaivenes de la vida y los sinsabores cotidianos. El espacio donde sus hijos encuentran que sus deseos son respetados y los problemas se tratan en conjunto, como la vez que hubo corralito en la Argentina y estuvieron todos de acuerdo en tomarse el buque a España, porque justamente pudieron sacar del banco, a tiempo, la "guitarra".

Esto nuevo de "hacerse cargo" nos diferencia de las familias de antes, que no se sentían responsables de los conflictos de los hijos. Del conflictivo, solían decir: "Agarró por el mal camino". Y si bien lo seguían queriendo, preferían que no estuviera presente cuando había invitados, para que no comentaran después que el niño se había levantado por la noche, había aparecido en pijama en el living y se había orinado delante de todos. La enuresis, en realidad, no es una cuestión de la cual avergonzarse; más bien es un síntoma de tensión por la que está atravesando el crío y se la debe abordar en familia, donde cada uno colabore cambiándole el pijama, poniendo un plástico debajo del colchón, y una sonda al niño.

¿Qué pasa cuando, en lugar de un nido, la casa se transforma en *La jaula de las locas* y a los adultos se les vuelan los pájaros cada vez que ocurre algo con los hijos? Sucede que los chicos pierden la confianza en el entorno y en sí mismos, en consecuencia, al no recibir el apoyo que necesitan para enfrentarse a la vida, se meten en más líos. Hubo un niño que cada vez que traía una mala nota provocaba un escándalo en la casa. El padre le gritaba, la madre se arrancaba los pelos, él lloraba y el perro ladraba porque tenía carácter de perro. Los adultos se tomaban el asunto en forma personal, como si esa nota baja se la hubieran puesto a ellos en la materia Sensibilidad frente a los problemas del niño. Y no comprendían cómo el peque, al minuto de haber llorado, estaba silbando bajito y parecía relajado. Lo que no sabían era que los sentimientos del niño crecían por dentro y que se expresaban de distintos modos, quizás estando más retraído en el futuro. Así pasó con este, que dejó de contarles a los viejos cómo le iba en el colegio y de enseñarles sus calificaciones. De allí en adelante, él mismo empezó a firmar su boletín. Para cuando los progenitores se enteraron, ya había huido al Hogar Cárita Duras, en donde lo trataban mejor.

La solidaridad debe reinar en la familia para que los pequeños se sientan seguros, superen sus complejos y crezcan felices. Tener un hijo bueno depende mucho de los padres que le tocan, de la subjetividad del niño y también de la suerte. Quizás, a causa de la crisis de valores, la desintegración de la sociedad y la ola de inseguridad, sea más conveniente convertir ese refugio en una fortaleza donde nadie pueda ni entrar ni salir durante los bombardeos, tomando la precaución, claro, de que ese búnker no se transforme en el de los Bin Laden. La familia significa casa, espacio y refugio que crepita con la llama del amor de los humanos, donde se cuecen habas y conviven especies y especímenes varios.

La familia nuclear versus la monoparental

La familia tradicional, también llamada nuclear, está compuesta por el padre, los hijos y la mujer biónica. Esta última es la encargada de la casa, de los críos, de su empleo y de perseguir a los malos. A pesar de sus muchas virtudes, la mejor sigue siendo su oído ultrasensible, que le permite enterarse con quién salen los chicos y, sobre todo, el marido; algo imposible de realizar cuatro o cinco décadas atrás, porque las infidelidades de los esposos eran un secreto que se llevaban a la tumba. Y si bien algunas lo sospechaban, preferían ponerse una venda en los ojos, antes que disolver la familia. Mientras el infiel siguiera cumpliendo con su función de sostén del hogar, podía hasta incluso ser el dueño de un harem. Otra de sus obligaciones era la de imponer respeto y obediencia en la casa, tarea que ejercía muy tarde, a la noche, cuando regresaba del trabajo. Pegaba cuatro gritos y un portazo, y obtenía lo que su esposa no había logrado durante todo el día: que los vecinos llamaran a la Policía.

A medida que la mujer se vio arrastrada por las nuevas propuestas de finales del siglo, como, por ejemplo, la de tomarse un tiempo largo por día para mirarse el ombligo, el hombre comenzó a perder terreno y debió ocupar otras áreas –hasta entonces inexploradas– como la de la paternidad activa, o sea, la de ponerse de pie y dejar de hacer cálculos de cuánto subieron las acciones mientras atiende al niño. La esposa, por otro lado, estaba estrenando las piernas biónicas que le habían implantado para realizar todas esas actividades que antes le daban fiaca. Entonces se iba al gimnasio o al curso de "Cómo administrar el tiempo libre". El padre, al encontrarse cara a cara con los críos y en continuado, en vez de un ratito a la noche, no tenía ni la menor idea de cómo ejercer la autoridad, porque más que un papá había sido un papa: el representante del poder de Ella sobre la Tierra, la cabeza invisible, el encargado de declarar los dogmas y de canonizar a la madre de sus nenes. Su misión era la de enseñar a través de la palabra o de los escritos que dejaba por toda la casa, del estilo: "El diálogo facilita la solución de los conflictos, para eso les pago un psicólogo"; "La familia está llamada a ser templo, por este motivo no se puede hacer ruido después de las diez de la noche"; "Que nadie se haga ilusiones de que la simple ausencia del padre, aun siendo tan deseada, sea sinónimo de 'tiremos la casa por la ventana'". Asimismo, el jefe de la familia era el villano al que la esposa recurría cuando retaba a los hijos: "Ahora vas a ver cuando venga el papa", los amenazaba.

En el caso en que ambos progenitores trabajen o uno de ellos sea inepto para vigilar a los niños, la educación de los pequeños quedará en manos del televisor, que, justamente, no tiene manos y mucho menos, cabeza. Y será la persona que esté a cargo –llámese cuidadora, vecina o abuela– la responsable de dosificarles la programación, considerando que un chico que pasa más de cuatro horas diarias, seguidas, frente a la pantalla puede convertirse en un adicto al LCD.

La falta de coordinación entre los esposos en cuanto a los roles que ocupan en la educación de los hijos, sumado a los conflictos de pareja, trae desavenencias que, muchas veces, culminan en un divorcio. Ahora los adultos se separan más rápido. Contrariamente a la mujer resignada de ayer, la de hoy no quiere cargar con la cruz de un marido mujeriego. En cuanto se entera de que tiene una amante, le parte la cabeza en dos con su brazo biónico. También se puede dar el caso de que ella se enamore de otro, porque encontró al fin su par: el hombre nuclear. Como consecuencia de la ruptura, surge el modelo de familia monoparental, en la que el niño pasa a vivir solamente con uno de los dos robots.

Los chicos del divorcio siempre guardan la ilusión de que sus padres se unan nuevamente. Por esta razón, es importante prepararlos para lo que se viene. Si los adultos son jóvenes, quizás, contraigan un segundo matrimonio, pero la inclusión del tercero en discordia debe hacerse en forma gradual, para no despertar al pequeño Otelo que habita dentro de cada niño. Asimismo, es mejor que los chicos no crezcan con resentimiento hacia el progenitor que se fue, porque eso les ocasionará problemas en sus futuras relaciones de pareja. Por eso, cuando se viene la hecatombe hay que procurar no utilizar golpes bajos para pegarle al culpable, sino más bien darle de la cintura para arriba.

Veamos lo que dice Graciela (divorciada, con dos hijos) en una nota para la revista *Ser... o no ser padres*:

"Cuando me separé de Raúl, traté de que a los chicos los afectara lo menos posible, por eso le pedí que se mudara cerca de casa, así los nenes no tenían que cambiar ni de colegio ni de figura paterna. También le aconsejé que dejara la terapia de pareja, por razones obvias, claro, ya que yo no iba a asistir nunca más, y hasta que él encontrara otra que lo acompañara iba a pasar un tiempito. Al principio, Raúl no tomaba bien el tema de la separación, se ponía medio loquito y me amenazaba con mezclar Speed con vodka, pero yo sabía que no era para suicidarse, sino para sentirse más pendejo, como hacen todos los tipos cuando se quedan solos. Si bien mi ex está un poco 'tocame

un vals', yo siempre traté de disimularlo e inculcarles a los chicos que su papá es un bohemio. Justamente, ahora empezó a juntar botellas para una empresa que recicla envases y parece que le va muy bien. Lo único que lo saca un poco es que los chicos lo llamen "botellero", pero yo les pido, por favor, que no lo carguen, porque su vida se ha puesto difícil de un tiempo a esta parte y no se trata simplemente de soplar y hacer botellas como ellos piensan. A lo mejor hasta tenga que contradecirse de sus dichos de toda la vida y se vea obligado a comer vidrio".

No es cierto que los pibes criados por un solo padre salgan con un tornillo flojo. Para que no entren en crisis después de la separación, hay que procurar que vean el lado positivo de las cosas. Para empezar, el niño tendrá dos casas (la de mamá y la de Los Cañitos, en Palermo, adonde se fue a vivir papá); más integrantes en la familia (el nuevo novio de mamá y los ratones de papá); más objetos de uso personal para no ir llevándolos y trayéndolos de una casa a la otra, con el riesgo de olvidárselos en alguna (dos cepillos de dientes y dos pares de tapones para no escuchar los reproches de la madre hacia el padre y viceversa). Con todas estas ventajas, más un Blackberry, un Ipod y un DVD portátil, el crío crecerá sin ninguna dificultad, pero con la idea de que el matrimonio es como comprar un pasaje en *El crucero del amor* y luego terminar viajando en el transatlántico *Poseidón*, donde no siempre se cumple la premisa: "Los niños primero".

Cómo ser un buen padrastro

Coaching para los hombres que formaron pareja con mujeres que ya tenían un hijo y se fueron todos a vivir al inframundo.

- **Acercarse al niño.** El contacto con el chico debe ser gradual, porque él está resentido con el intruso que se apoderó del corazón de la madre. Al principio, va a rechazar toda propuesta de diversión que venga de parte del padrastro, como irse todos de vacaciones a Mundo marino. Hay que esperar a que se harte de las aburridas visitas de fin de semana del padre para que acepte viajar con la madre y el *Pescador de ilusiones.*

- **Manejar la enemistad.** El padrastro nunca debe ponerse a la altura del hijastro. Es mejor no enojarse ni contestar a sus agresiones. Tampoco hay que demostrarle que le molestó que le modificara la altura y el color de los zapatos del pie izquierdo ni que le cambiara el champú por agua oxigenada. Por el momento hay que bancarse salir a la calle más *Alto, rubio y con un zapato negro.*

- **Nunca ponerse en el lugar del padre.** El padre postizo jamás debe darle órdenes al hijastro, porque eso ya lo hace su viejo y lo pudre bastante. En su lugar, puede enseñarle a fumar un habano o convidarle una copita de ron para cuando lo manden pa' Cuba, al chico o lo anoten en *Buena Vista Social Club.*

- **No mostrarse sumiso cuando lo bardee.** Al chico le gusta mucho chicanear al padrastro, sobre todo cuando la madre no está. También inventa historias para convencerla de que el tipo es un idiota. El padrastro debe reaccionar a tiempo para no convertirse en un *Tonto y retonto.*

- **Programar actividades en común.** Puede ser la de encestar la pelota en el aro que está en el patio detrás de la casa, como si fueran los protagonistas de una película americana: empiezan jugando tranquilos y terminan *Como perros y gatos.*

- **Evitar obtener su aprobación a cualquier precio.** No ofrecerle regalos al chico para ganarse su afecto, por ejemplo, un cortaplumas. Eso es lo que les dan todos los padres a los varones apenas se divorcian, quizás, porque tienen la fantasía de que la madre los va abandonar en medio de la selva y necesitarán un arma para sobrevivir, igual que *Tarzán.*

Hermanos: la guerra de los celos

Como no es bueno que el niño esté solo, porque se transforma en un ser egoísta y caprichoso, los padres lo proveen de hermanos que le enseñen a compartir. El primogénito vive la irrupción del bebé como el equivalente a la invasión de *E.T*, con quien debe disputarse no solo el amor de la familia, sino, más adelante, también la cerveza. Mientras el infante usa sus armas de seducción para volver a atraer hacia él la mirada de los padres (como el pasito de la caminata lunar de Michael Jackson), al alienígena le basta con lanzar una bomba biológica a la superficie, para poner a los adultos a aullar de contentos.

No bien aparece el recién llegado, le serrucha el piso, más precisamente, la cuna, para ser readaptada a su tamaño. Además, le chupa todos los juguetes, antes de rompérselos. Y lo que es peor, con su llanto no lo deja tranquilo. Cuando el pequeño comienza a independizarse quiere todo lo del hermano, incluyendo su personalidad. ¡Y después dicen que el celoso es el mayor!

Los padres de antes obligaban al más grande a cargar con el gurrumín por todas partes. Debía incluirlo en los juegos con los amigos y hasta en la salida con la novia. En estos casos actuaba de anticonceptivo, al evitar que la parejita se diera besos. Era costumbre que ambos hermanos vistieran igual, siempre y cuando hubiera dinero. De lo contrario, el menor usaba la ropa que le pasaba el mayor, que, en general, lucía como la del linyera de la tira de *Diógenes*.

Si bien el primer hijo goza de toda la atención de los progenitores, también vive situaciones de estrés frente a la ineptitud de los padres primerizos, que arman un escándalo bárbaro cada vez que se enferma o se accidenta. Se sienten tan preocupados de que le pase algo malo que llevan las medidas de seguridad hasta casos extremos, como el de desinfectarle los juguetes con alcohol o prohibirle tomar del vaso de un resfriado.

Con el segundo se relajan y al pibe lo dejan comer el chocolatín que se le cayó en la zanja y compartir la bombilla del mate con un mutante. Todavía son menos precavidos con el resto de la prole, que adquirió su propio criterio sobre lo que debe desechar o llevarse a la boca. A veces alguno se confunde y termina comiéndose las bolitas rojas de una planta que no es comestible. Pero, en este caso, la culpa no es del chico ni de los padres, sino del que le puso al fruto prohibido el nombre de "muérdago".

Con la llegada de un hermano, el hijo mayor siente curiosidad. Luego, cuando descubre que no pueden jugar a nada, se decepciona. Quizá también se vuelva bebé y pida de mamar, el chupete y que le canten "tortita de manteca". ¿Cuál es el papel de los padres cuando el primogénito hace una regresión? ¿Deben darle la teta, el "tete", la tortita o un tortazo?

Para empezar, hay que ubicarlo en su lugar de hermano mayor y, como tal, asignarle el papel de guardia de seguridad, aunque, pensándolo bien, ese es el del tipo que siempre se queda dormido; mejor, entonces, el de un superhéroe, como *Superman*, que nunca descansa. Por lo tanto, no deberá usar pañales, sino un calzoncillo colorado. También hay que inducirlo a participar de los avances del pequeño, por más insignificantes que parezcan, y decirle: "¿Viste cómo el bebito hace provechito después de tomar la mema?". Esto lo incentivará a que él también quiera superarse y pruebe hablar con el estómago como si fuera un ventrílocuo, y el hermanito, su muñeco de madera. Nunca hay que olvidarse de abrazarlo, de mimarlo y de jugar con él como antes del nacimiento del hermano. Suele ocurrir que las madres, al tener un segundo hijo e ir de compras los tres, se olviden al primogénito en el supermercado. Tampoco hay que echarles la culpa, porque, entre el cochecito, el changuito y el chango nuevo, están un poco mareadas. Por tal motivo deben apoyarse en el hijo mayor cuando estén fuera de casa y darle una tarea que lo mantenga con los ojos abiertos, que bien puede ser la de recordar dónde dejaron estacionado el auto.

Por último, es aconsejable que los padres no intervengan en las peleas entre hermanos cuando estos ya crecieron. Son ellos los encargados de manejar los conflictos. Por más que la intromisión sea justa y en defensa del debilucho, el otro sentirá que lo quieren menos y que siempre están del lado del pequeño. Y si bien los progenitores suelen preferir a un hijo por sobre los demás (aunque digan que los aman a todos por igual), que no se note, por lo menos, hasta la lectura del testamento.

Carta de un hijo de padres separados a su hermano Leo

Perdón, hermano mío, si te digo
que ganas de escribirte no he tenido,
no sé si es el encierro,
no sé si es la envidia
o el tiempo que ya llevo sin comida.

Lo cierto es que la flía. deprime
y es mal refugio para un niño,
si no es por esas tías
que llenan mi alcancía,
sería más amarga todavía.

A ti te irá mejor, espero,
viviendo como hijo de terceros,
aunque el progenitor, según me cuentas,
te obliga a pagar todas las cuentas.

Tú tienes que entender, hermano,
 que el alma tiene de tacaño,
al no poder cobrar a quien quisiera
descarga su poder sobre ti, fiera.

Muchos hermanos son importantes,
paredes mediante, papeles en mano.

Pero volviendo a mí, no he madurado,
aquí, desde que fuimos separados,
hay algo, sin embargo,
que noto en mi mente,
parece que me puse del bonete.

Tus ojos han perdido algún destello,
como si fueran ellos los podridos,
yo sé lo que te digo,
apuesta lo que quieras,
la sangre conlleva miles de problemas.

Caímos en la selva, hermano,
y mira en qué tremendas manos,
tu padre está viciado de humo y de vedettes
mi madre, de alcohol y de purretes.

Volver a la pobreza
sería tu mayor proeza,
allí podrás sentirte libremente
y no hay ni chances ni sobrevivientes.

Cuídate, hermano, yo no sé cuándo,
pero a los padres hay que tratarlos.

Los abuelos, una especie en peligro de extinción

Alguna vez, los abuelos fueron esas personas que tenían la cabeza blanca de las canas que les habían sacado los hijos y luego los nietos. Eran fuente de sabiduría, maestros *shaolines* que supieron educar a su familia y le dejaron de legado la técnica de punto de presión, que consiste en apretar con fuerza un lugar específico del cuerpo del adversario o hijo, hasta inhabilitarlo.

La abuela solía ser una ancianita dulce, de batón, que tenía todo el tiempo del mundo para dedicarles a los nietos. Con ellos jugaba a las damas, les leía cuentos o les enseñaba a armar collares de fideos. Pocas veces se enojaba, porque le sobraba paciencia, y para ella era una gran alegría recibir a los chiquillos en su casa. Los niños podían estar horas inventando historias o correteando por el patio, mientras ella fregaba la ropa en la tabla. Y si bien la hacían renegar de vez en cuando, no se enfadaba, lo máximo que podía pasar era que les arrojara una chancleta que nunca los alcanzaba, dado el cansancio de sus lavanderos brazos, y la falta de puntería de la que tienen fama todas las mujeres. Siempre tejía con lana o al crochet hermosas prendas para los nietos y los llenaba de regalos y de mimos: todo lo que no había hecho con sus propios hijos. Con esto queda demostrado que los mejores padres de una persona suelen ser sus abuelos.

Por otra parte, el abuelo llevaba a los varones de pesca, realizaba con ellos trabajos de carpintería o los sentaba en la vereda a contarles anécdotas de la juventud. Y por más que repitiera siempre la misma historia, los nietos lo adoraban, lo respetaban y absorbían de él las moralejas y las humoradas, porque los abuelos se caracterizaban por esa mezcla de picardía y rectitud al mismo tiempo. Podían haber sido muy zorros durante su juventud, pero solo le transmitían al principito buenos mensajes, como aquel de que "lo esencial es invisible a los ojos", frase muy conveniente por aquel entonces en el que la operación de cataratas no se realizaba con láser y la mayoría terminaba ciego.

Quizás, el defecto más sobresaliente de las abuelas fuera el de atiborrar de comida a los nietos o el de ponerse a discutir con la hija o con la nuera sobre cómo debían abrigarlos, que siempre lo hacían como para viajar al Polo Norte. También insistían en que el pequeñín debía beber jugo de tomate, de naranja y, sobre todo, la sangre del churrasco para crecer fuerte, sano, y vivir, por los siglos de los siglos, como los vampiros.

Con el paso de las décadas, las abuelas se tiñeron el pelo y dejaron las enseñanzas de lado para darles un poco de crédito a lo que sus hijas o nueras aprendieron en los cursos y libros como este, para después comentar en la clase de golf lo ridículas que son y cómo están criando monstruos. Suelen vivir alejadas de los nietos, algunas en una localidad distinta a la de sus hijos; otras, más previsoras, en otra galaxia. Los ven cada muerte de obispo y los encuentros duran poco, porque las casas de los abuelos no están equipadas con lo que los chicos necesitan para divertirse, o sea, una Tecnópolis.

Además de que se ha perdido la ancianita de los cabellos canos y el tejido, hoy se da el fenómeno de las madres y las abuelas a los cuarenta. Por lo tanto, hay una gran confusión, al menos a simple vista, sobre quién es la progenitora de la criatura. Además, ambas se comportan de forma parecida con respecto al niño. Acaso la diferencia está en que la abuela es la señora que no sabe ni abrir ni cerrar el cochecito del bebé sin el manual de instrucciones. Si bien comparten con las mujeres de antes ese amor incondicional hacia el nieto, lo pueden llegar a regañar mucho si les dice "abu" en público.

Dado que es muy común que ambos progenitores trabajen y no tengan quién les recoja a los niños del colegio, los abuelos van al rescate y se quedan con ellos hasta que sus padres vuelvan. Si esta situación se repite, seguramente los niños pasarán bastante tiempo en su compañía. Puede ser entonces que aparezcan situaciones donde los nonos deban marcarles límites, pero en lugar de eso se vuelven sus compinches. Esta actitud complaciente les traerá muchos enfrentamientos con los adultos. Para evitarlos, la *Guía* les propone una lista de consejos para mantener a los rebeldes bajo control, y así no enfurecer a los padres.

- **Obligar a los niños a hacer la tarea antes de que lleguen los progenitores**: ya sabemos que ningún chico quiere hacer los deberes, y menos cuando están los abuelos presentes, porque, en general, no pueden ayudarlos en nada. Por este motivo, se sugiere llamar a algún compañerito que se los pueda pasar por teléfono; a la abuela, claro, que luego se los transmitirá al nietito.

- **Ordenarles que se bañen**: otro motivo de controversia que se suscita en presencia de los abuelos. Para evitarlo, se lo puede reemplazar por el baño del polaco (patas, cola y sobaco), del francés (solo echarse perfume) o por el baño turco, que consiste en abrir la ducha, dejar que salga el vapor por un rato y luego cerrarla.

- **Realizar juntos una actividad**: para tener a los chicos entretenidos y que no se desboquen, sugerimos cocinar galletitas, crear figuras en porcelana fría o pintar *collages* con cola de colores, y que después el enchastre lo haga desaparecer Mandrake.

- **Dejarlos saltar sobre el colchón de los padres**: no se sabe por qué a los nenes les da por este lado cuando los adultos no están. Después de verticales, vueltas carnero y cinco puntos en la frente, hay que dar vuelta el *sommier* para que los viejos no se den cuenta del cráter que le dejaron en el centro.

- **Permitirles a las nenas vestirse con la ropa de la mamá**: esto es peligroso porque las chicas se entusiasman y se ponen sus joyas y sombreros para desfilar por la pasarela imaginaria. Además, le usan todas las pinturas. Se sugiere terminar la fiesta antes de que den las doce, momento en que se espera que la abuela deje de actuar como un zapallo.

Las cosas cambian

- **Cine continuado versus 3D.** En el pasado, había cines en los barrios y no dentro de los *shoppings*, eran en continuado y pasaban dos películas al precio de una, con un intervalo en el medio para el pancho y la Coca. Hoy todos comen nachos, pochoclo y saladitos mientras ven el film y no hace falta esconder la gaseosa debajo del saco para que nos dejen entrar. Además, la película es en 3D, con lo cual no se sabe si la rata que viene caminando hacia adelante sale de la pantalla o de entre las butacas.

- **Diversión aburrida o inteligente.** Hace cuatro o cinco décadas nos divertíamos jugando en casa con los juguetes o cualquier objeto que cumpliera la función de tal: un palo de escoba para tocar la guitarra o una tablita para simular un piano, por ejemplo. Hoy existe Diversión inteligente, un espacio similar a una ciudad en miniatura, con autos, triciclos, un mercado, una biblioteca, un pelotero, un barcito y talleres, más un café *gourmet* para que esperen las mamás mientras los chicos están entretenidos y vigilados por un sistema de circuito cerrado de televisión que detecta cuándo el pibe no se sacó los zapatos para entrar en el pelotero y manda a un supervisor para que lo arreste.

- ***Fast food*** o ***good show*.** Antes la comida era casera y llena de vitaminas, como el puré. Con este alimento, inventábamos un juego: llevar una porción generosa de puré a la boca, luego colocar una mano en la sien simulando el movimiento de la manija de una máquina de picar carne y, poco a poco, ir expulsando el alimento hacia afuera, como lo hacía la máquina de verdad. Ahora se utiliza la comida congelada, como las patitas de pollo, que se cocinan en el microondas y el único juego que se puede inventar con ellas es el de encontrar al pollo.

- ***Vamos a la playa, ¡oh, oh, oh, oh, oh!*:** Pasar los veranos en la costa y ponerse el Hawaiian Tropic para freírse al sol era un *must.* Partíamos de Buenos Aires con un tono de piel blanco mate, que descansa la vista, y volvíamos tomate, a descansar el doble. En la playa jugábamos a la pelota-paleta o al vóley, los más chiquitos construían castillos o se enterraban hasta la coronilla. Hoy se cambió el bronceador por la pantalla total, y los juegos en la arena por la clase de gimnasia para toda la familia, donde chicos y grandes intentan adelgazar la mariscada que se mandaron en el parador.

• **Cinturón de seguridad o de castidad.** Antes los chicos viajaban en auto sin cinturón de seguridad, porque a nadie se le ocurría ponérselos, además encontrar uno y en el asiento trasero del vehículo era como hallar el unicornio azul de Silvio Rodríguez. Ahora las madres no quieren arrancar si sus hijos antes no van ahorcados por la cinta negra. Es más, si se la llegan a quitar durante el trayecto, los amenazan con que la Policía los va a parar y les va a hacer una multa. Y otra a ella, por manejar mirando hacia atrás.

• **Casco o te casco.** Otra novedad del progreso es usar casco, además de rodilleras, para andar en bici, patineta o monopatín. Así que el niño va equipado como para ir a la guerra y que el raspón en la rodilla no se le haga piel de cebolla. Lo más llamativo es que los accidentes graves no le ocurren practicando deportes que se volvieron de riesgo (como los mencionados), sino cuando está en la casa tranquilo, mirando el cieloraso y lo aplasta el ventilador de techo que colocó mal el papá.

• **Barrio público o privado.** Antes se jugaba en la vereda al poliladrón, la mancha, la escondida, las bolitas, la botellita, las figuritas, el elástico o el rango, por mencionar algunos juegos. Las madres estaban tranquilas, porque los chicos no podían escaparse a ningún lado, y por más lejos que estuvieran, aparecían cuando les picaba el bagre. Esta práctica quedó en desuso al perderse la idea de barrio y la costumbre de pasar a buscar a los amigos por la casa para juntarse. Ahora para visitarse, los chicos deben recorrer largas distancias, y adaptarse el amigo de ciudad al del *country,* que tiene hamacas en el *club house,* también tobogán y subibaja, pero debe anotarse en una lista de espera antes y sacar turno para usarlos.

- **De Julieta Magaña a Panam.** La animadora televisiva de la tarde por excelencia era Julieta Magaña, una joven burbujeante, hija de actores, amiga de los más pequeños, que cantaba y bailaba como Ginger Rogers al son de *La batalla del movimiento,* canción que estimulaba a los pibes a mover el esqueleto y, de paso, a aprender los nombres de las partes del cuerpo. De eso se pasó a la ex *vedette* que tiene nombre de una ex aerolínea, porque es una máquina, más precisamente, una *sex machine.* Panam canta una canción llamada *Que titungui, que titungui,* cuyo estribillo repite "que titungui, titungui", que, al no encontrársele significado alguno, se cree que es un mensaje subliminal que alude a su prominente delantera.

- **Enciclopedia o Google.** ¡Qué despelote se armaba en la familia cuando al nene le pedían en el cole que buscara información en la casa sobre un tema que no conocía ni el loro! Todos se ponían a revisar los tomos de la enciclopedia, desde la A hasta la Z, incluyendo los del vecino, pero, a no ser que el tipo fuera Bioy Casares, era difícil que tuviera los libracos adecuados. Entonces, había que salir disparando a la biblioteca del barrio… de Babel, para encontrar el dato requerido. Hoy la info se obtiene *googleando* en menos de lo que canta un gallo. Lo difícil es dar en el clavo con el tema, porque hay tantas derivaciones de una sola palabra que se corre el riesgo de que la profe haya peguntado por "San Martín" y los chicos le lleven datos sobre un hotel y *spa* del mismo nombre.

La familia de antes, la ideal; la de ahora, la real

Educar a un hijo no es fácil ni lo fue jamás. La diferencia es que antes nadie se lo cuestionaba, y se instaló la sensación de que los padres la tenían clara. Había ciertos rituales que se cumplían al pie de la letra, porque cundía la leyenda de que "la letra con sangre entra". Por lo tanto, los pibes no armaban escándalo a la hora de irse a dormir, porque sabían que si se quedaban despiertos se les aparecían los fantasmas (los padres en medio de la noche, en paños menores); método que cayó en desuso con la llegada de *Los ghostbusters*. Del mismo modo, los niños no necesitaban tantos elementos materiales para ser felices, porque les bastaba con los de tortura que inventaban: juntaban hormigas en un frasco y las espolvoreaban con azúcar o les quitaban la ramita de encima que llevaban al hormiguero. También le arrancaban la casita al caracol o enfrentaban a dos escarabajos para que se rompieran los cuernos. Les gustaba explorar la naturaleza, al mejor estilo darwiniano: viendo cómo sobrevivía el más guapo.

Mucho se habla de la pérdida del respeto en la familia, cuando, en realidad, lo que se perdió fue el miedo. En el pasado, los padres tenían menos problemas a la hora de ejercer la autoridad, como se ha visto. Las amenazas eran más contundentes y se cumplían, de allí que muchos niños se llenaban los bolsillos de miguitas de pan, como *Hansel y Gretel*, para encontrar el camino de vuelta a casa cuando los adultos los abandonaran en el bosque. Temerosos de caer en las redes del despotismo, los adultos caímos en las del vale todo. Les dimos demasiados gustos; y ellos, a cambio, disgustos. No advertimos que los pibes no son inocentes, sino que vienen dotados de poderes extrasensoriales para adueñarse de la mente de sus padres y tenerlos al trote, luego de haberlos convertido en unos asnos.

También se habla de que los valores que tornan a los niños en buenas personas se fueron devaluando. De la solidaridad se pasó a un individualismo hostil en que lo importante es el dinero y alcanzar el éxito. Sin embargo, los padres tienen la manija para revertir esta situación, debido a que son ellos los modelos con los que el niño interactúa y de quienes aprende. Si cambian de *notebook,* de casa o de auto a cada rato en su afán por aparentar, no solo corren el riesgo de que los hijos se vuelvan materialistas, sino también de que los secuestren.

Cuando nos convertimos en padres, tenemos en la cabeza la idea de hacer las cosas bien para no repetir los errores de nuestros antecesores. En algún aspecto mejoramos, justamente, al mantenernos alertas acerca de cómo nos conducimos con el niño o al recordar nuestra relación con los mayores. Si nos sentíamos asediados cuando nos enseñaban a comportarnos en la mesa, es probable que tampoco seamos tolerantes con los pequeños. "Sentate derecho, no apoyes los codos en la mesa, no patees la pata de la silla, no hagas ruido al masticar" son algunas órdenes que nos fastidiaban. Para evitarlas, lo mejor es llevarles la bandeja al cuarto y que almuercen tirados sobre el lecho igual que en la antigua Roma, copiando los modales de una familia que tenga más que ver con ellos, como la de Brutus.

Creer que en el pasado el divertimento era más sano no es del todo cierto tampoco. No existía la promiscuidad en la televisión, pero los varones se las ingeniaban para treparse a un árbol y espiar a la vecinita a través de los binoculares cuando se cambiaba de ropa, o para escabullirse debajo de la mesa ratona, mientras los adultos preparaban el proyector Súper 8 para disfrutar con sus amigos de *La chica del trasero bonito.* Sin Internet, ni Hi 5, ni My Space, también los chicos perdían el tiempo mandándose cartitas de amor con poemas y corazones que diseñaban durante las horas de clase, escondidos de la mirada de la maestra. Lo que no era sano era el castigo que sobrevenía si uno de los mensajes caía en manos de la docente. Los mandaba al rincón, afuera o a la dirección. De las tres penalidades, la peor era permanecer de pie, inmóvil, con los brazos al costado del cuerpo y la mirada fija en el revoque; no estamos hablando de la pared, sino del revoque de la señora directora.

En la educación lo más importante es desterrar algunos mitos, como el de que los padres de antes lo sabían todo o el de que eran unos perfectos ignorantes. Del mismo modo, hay que encargarse de mostrarles a los pequeños los defectos que tenemos y cómo tratamos de vencerlos. Eso los hará sentirse humanos y ver que no es tan difícil parecerse a mamá o a papá, solo hace falta meter la pata seguido. A los chicos les da mucha gracia que reconozcamos que sus fallas, en realidad, no son genuinas, sino que provienen de alguno de nosotros. Por ejemplo: no colgarse el gamulán, comer de la ensaladera o tener hormigas en la cola, seguro que lo sacaron de la madre, mientras que buscar algo, no encontrarlo y llamar en auxilio a la mamá, lo heredaron del padre.

El *Feng Shui* de la familia.
Seis consejos para no volverse chino

La *Guía* nos acerca seis tácticas del *Feng Shui* que pueden aplicarse en el hogar, para que reine la armonía, y se eviten las discusiones y el caos multifamiliar.

1) **Colocar un florero, un perchero y un espejo en el recibidor.** Favorece la entrada en la casa, el refugio donde los habitantes llegan en busca de un poco de paz. Que no nos reciba un aviso de carta documento que pasó el cartero por debajo de la puerta.

2) **Evitar los muebles de puntas cuadradas y filosas.** Los objetos redondeados son propicios para canalizar la energía del *Chi*, que es la fuerza universal que nos rodea y que tanto nos cuesta conseguir, dado que los chicos gustan más de contradecirnos cuando les pedimos algo, utilizando un simple y rotundo *Cho*.

3) Limpieza y orden en el baño. Son fundamentales para que la energía no se estanque. Por eso, hay que mantener el recinto impecable y no usar las toallas de felpudo ni una cortina de baño transparente como la de la chica de *Psicosis*. Y, sobre todo, no mezclar olores corporales con anti transpirante, a falta de desodorante de ambientes.

4) Colgar un llamador de ángeles en la cabecera de la cama del niño. El sonido constante, regular y penetrante le perforará el oído y el cerebro (la parte que usaba) al punto de volverlo un zombi. A partir de allí, acatará las órdenes que se le den, sin chistar. Este método también se utiliza para que al niño le entre lo que aprendió en la escuela. Lo ayuda a volverse más inteligente, aunque el aspecto no lo acompañe y se lo vea azul, ojeroso y con la ropa deshilachada.

5) Colocar plantas en la habitación de los chicos. Naturales, de flores blancas y, preferentemente, carnívoras, porque absorben la energía negativa y, a veces, también a los niños que se portan mal. No olvidarse de sacarlas afuera antes de que se duerman; a las nenas, claro, que son más buenitas.

6) Corregir las puertas de la casa que sean difíciles de cerrar. Esto es de suma importancia para la comunicación familiar, sobre todo cuando el progenitor está caliente con el hijo y necesita irse de su habitación dando un portazo.

Capítulo VIII

De hijo único a hermano: la lucha continúa

Hijo único: ¿ganancia o perdición?

No se saben las razones exactas por las que los padres deciden traer sólo un hijo al mundo. Puede ser por un tema económico o por un designio del destino. Sea como fuera, el primogénito será tildado de "rarito" y sus progenitores deberán dar explicaciones de por vida de por qué no tuvieron más críos, a cuanto preguntón se les cruce en el camino.

El hijo único no compite por el amor de los padres; son todo para él, igual que los juguetes, su cuarto y, el día de mañana, la herencia. Si bien se lo considera solitario, él está chocho en su compañía y en la del amigo invisible. Disfruta de su séquito de adultos y maneja un vocabulario bastante amplio, porque nunca tuvo que hacer una regresión oral ante la llegada de un bebé. Seguramente, va a una escuela muy cara, viaja por el mundo y agradece a Dios que se le haya pasado esa etapa abúlica de la infancia en que la que pedía un hermanito.

Podrá ser que le cueste independizarse, que en su caso significa abdicar el trono, ya que en su casa es el rey, más precisamente, Edipo rey. Pero son los adultos los encargados de asegurarle que no se aflija por no poder casarse con la mamá, ya que en el futuro encontrará una mujer tan rompe portones como ella.

Quizás el trauma más grande del hijo único se manifiesta cuando empieza el colegio y cree que la docente es solo para él. Se esfuerza demasiado por llamar su atención y conquistar su cariño. Si tuviera hermanos mayores, por ejemplo, lo alertarían de que esa profesora que parece tan buenita y amorosa es, en realidad, la madrastra de Blancanieves disfrazada de dulce anciana.

Los padres de hijos únicos deben ser cuidadosos con los mensajes que les transmiten, porque, por un lado, los empujan a dejar el nido y, por el otro, los manipulan para que se queden con ellos para siempre. Una de las razones por las que las parejas tienen familias numerosas es para que se repartan la responsabilidad de cuidarlas cuando sean ancianas. Lo que no saben es que no importa el número de críos que se tengan, siempre habrá uno y solamente uno que cargue con el muerto. A la hora de hacerse cargo de los viejos, aparece, de repente, un hermano enfermo, otro pobre y un tercero que se fue a vivir a la Cochinchina. Entonces, al cuarto no le queda más remedio que convertirse en hijo único.

El hermano menor, el mayor de los males

Hay hijos que son un pan de Dios, mientras que otros son una manzana podrida. Aun así, los padres tienen el reto de ayudarlos a llevarse bien entre ellos. Si no lo logran, es que les faltan estrategias o, quizás, las diferencias entre los hermanos sean irreconciliables. Los conflictos entre los hijos son inevitables, porque lo único que los obliga a quererse es la amenaza de los progenitores. Deben permanecer juntos y convivir bajo el mismo techo, solo por decisión de los adultos. Ningún chico desearía un hermano si comprendiera la dimensión de lo que eso significa. Lo pide como un juguete que ve que otros chicos adquirieron por anticipado. Después comprueba que no hay posibilidad de devolución, tiene pocas pilas y se convirtió en uno de arrastre. Mejor hubiera sido un gato, por lo menos no le iba a contar a la madre quién le tiraba de la cola. Pero los padres no querían un animal que les deshilachara los sillones; prefirieron un bebé que les destrozara la casa.

En las familias numerosas, los adultos eran los culpables de que los hermanos se odiaran, porque le encargaban al mayor cuidar de los más chicos y, además, quedarse relegado a un segundo lugar. El pobre no solo tenía que cambiarlos, alimentarlos y vigilarlos en la casa, sino también en la escuela. De grande, en ocasiones, se quedaba sin salir a bailar por verse obligado a velar por la salud de alguno de sus hermanos que convertía su fin de semana en *Fiebre de sábado por la noche*. A la larga, la postergación de sus deseos le provocó sentimientos adversos hacia sus consanguíneos, que se tradujeron en posteriores maltratos, indiferencia o pase de las facturas que no le gustaban.

Otra causa de rivalidad fraterna, también engendrada por los padres, era cuando la madre le pedía al mayor que se retirara de su vista para amamantar al Benjamín (actitud sugerida por el doctor Spock cuando regresó de su viaje a las estrellas). Eso le producía al niño unos celos terribles, además de imaginarse que existía una alianza entre el bebé y su madre, mientras él debía conformarse con el cariño del padre, que recién ahora comenzaba a darle bolilla porque había aprendido a meter unos goles. La mamá moderna, en cambio, incita al primogénito a participar del acto de la lactancia del pequeñín. Es el niño el que le dice que no y agrega que se va a ver los videos de Lady Gaga. Esto no quiere decir que no sienta celos, sino que prefiere poner celosa a la madre.

Lo que ningún hijo mayor puede soportar es que le echen la culpa de todo lo que le pasa al menor. Si hay una discusión, seguro que él la empezó; si el hermanito llora es porque le pegó; si tiene conjuntivitis, lo ojeó. En otros tiempos, los adultos ni le preguntaban la razón del problema, directamente, cuando se armaba el tole tole, lo fajaban. Él no decía ni una palabra, pero, el día que le llegaba la oportunidad, se vengaba de la manera que se vengan todos los hermanos más grandes: diciéndole al pequeño que es adoptado.

Más allá de las peleas, la personalidad de los hijos no siempre es la deseada por los padres. En ocasiones, se preguntan, junto con la ciencia, por qué dos vástagos criados dentro del mismo medio salen tan diferentes uno del otro. Pero más extraño aún es por qué salen iguales cuando fueron separados al nacer. En su obra *Exploring the hair*, el profesor Thomas Alot acercó una respuesta, luego de investigar el caso de dos gemelas idénticas que vivían en diferentes estados... de alucinación. Un día, una de ellas se quemó una oreja con la planchita del pelo y la otra sintió el mismo ardor en ese lugar, en ese preciso instante y, acto seguido, se le enrojeció la piel. "Solo puede haber una explicación −arriesgó el facultativo−, se trata de una transmisión extrasensorial de una gemela a otra para eliminar el uso de este aparato de tortura, de una vez por todas, y hacerse el alisado definitivo".

La madre de gemelos tiende a efectuar comparaciones sobre el carácter de los niños y suele referirse a uno como el activo y al otro como el pachorro. Si al nacer comprueba que hay diferencias en el peso, dice que el gordito tomaba la ración de alimento que le correspondía al hermano. Si, además, en los años subsiguientes persiste en describir al comilón como un cóndor y al flacucho como una lombriz, la autoestima del más débil quedará a la altura de un gusano. Por lo tanto, una vez más, la diferencia de personalidad entre los integrantes de la misma familia, en este caso, de los hermanos, depende mucho del trato que le den los padres. Considerando que la madre es el único ser sobre la tierra que puede distinguir a un hijo idéntico de otro, es mejor que no se haga la tonta y quiera arropar, acunar o mimar siempre al mismo y al otro se lo endose al padre. Tampoco es cuestión de uniformarlos tanto que después terminen los dos dando el pronóstico del tiempo en un noticiero de la tele, como las mellizas Nu y Eve. Lo deseable es encontrar la forma de querer y criar a cada niño de manera especial y única. No como esa madre que les decía a los hijos: "Son mis tres dolores de cabeza".

Receta para mantener a los hermanos a temperatura ambiente

La *Guía* nos da la receta para que los hermanos se mantengan juntos, pero no revueltos:

- **Actuar de ayudantes de cocina, no de árbitros.** Cuando los nenes se vayan a las manos, los mayores deberán actuar como los asistentes de los boxeadores: secarles el sudor de la frente, darles agua y, sobre todo, advertirles que, antes de tomar líquido, se quiten el protector bucal para no tragárselo.

- **Evitar que uno de los niños sea el payasito de la casa.** Eso provoca celos y envidia en el otro, que quizás hasta realice algún número circense para volver la atención hacia él, como el de agarrar los cuchillos de la cocina y lanzárselos al hermanito.

- **No intentar que los hijos sean dos gotas de agua.** Aceptar la individualidad de cada niño puede ser un gran paso para evitar que hiervan de rabia. Eso conlleva estar atentos a las particularidades de uno y del otro. Por ejemplo, no hay que peinarlos iguales porque quizás al intelectual no le sientan las rastas o el rebelde no se identifica con el corte "frente despejada" de Tom Hanks.

- **Respetar los gustos de cada hijo.** A pesar de que es conveniente que los hermanos compartan las mismas actividades, como, por ejemplo, la clase de violín, para la que pueden prestarse el instrumento, hay que dejar que cada cual desarrolle sus propios gustos con respecto a cómo ocupar el tiempo libre, no vaya a ser que uno utilice el violín para tocarlo y el otro para acarrear una pistola en el estuche.

- **No comentar a los parientes la relación culinaria entre los hermanos, para que no sepan que se llevan como el culis.** Es mejor que se mantenga en secreto quién es el hijo estrella y quién el Borromeo. Los trapitos sucios se lavan en casa, y ya sabemos quién va a ser el encargado, ¿no?

Respuestas de una madre a las quejas del hijo mayor

1.
Hermano mayor: No quiero que tengas otro bebé.
Madre: ¿Estás celoso? Contame todo lo que sentís, así veo si cuando te interne te lo puedo llevar de visita al loquero o no.

2.
Hermano mayor: ¿A quién querés más, mami?
Madre: A mi masajista.

3.
Hermano mayor: ¡Ga, ga, gu gu… ua, ua…!
Madre: ¡Qué suerte! Ahora tengo un bebito y un hijo con trastornos en el habla.

4.
Hermano mayor: Siempre le prestas más atención al bebé que a mí.
Madre: ¡No sé de qué me hablás, Manuel, perdón, Javier!

5.
Hermano mayor: ¿Por qué siempre lo defendés a él?
Madre: Porque no puede abandonar la incubadora para pegarte.

6.
Hermano mayor: Odio a mi hermano.
Madre: Escribilo a ver si se te pasa… ¡No, en las paredes del porche de casa, no!

7.
Hermano mayor: Me gustaría que este bebé no hubiese nacido nunca.
Madre: ¡Decíselo a mi ginecóloga!

Los hermanos sean hundidos

Los hermanos mayores tienen un gran impacto en la vida de los más chiquitos, porque son los que les enseñan cómo las cosas deben no hacerse. Como fueron los primeros en rebelarse contra las reglas de mamá y papá, son copiados por sus seguidores en las malas acciones cotidianas.

Si los hermanos vivieron en una familia donde prevaleció el amor de la pareja y la unión fraternal, por más que hayan tenido desavenencias de chicos, es posible que las superen de grandes. Seguramente se frecuentan, se llaman por teléfono y hasta trabajan juntos o llevan un negocio adelante. Se da más entre los de distinto sexo, porque no tuvieron que competir por ocupar el mismo lugar. En el caso de los hogares que no fomentaron otra cosa más que la de resaltar las virtudes de un hijo en detrimento del otro, el resentimiento fraterno que se gestó en esos días posiblemente continúe y los pequeños se hayan convertido en adultos desconfiados, celosos y envidiosos que no se pueden ni ver. En general, cuando un hermano se porta bien, el otro hace lo opuesto para diferenciarse. Y el "bueno" está chocho con que sea su consanguíneo el causante de todos los trastornos de los padres.

Hermana sol, hermana nube

Una chica conservadora es hermana de otra que es una especie de Britney Spears, porque entra y sale de clínicas de rehabilitación continuamente. Para esta joven políticamente correcta, un familiar de esta calaña es una vergüenza, aunque le sirva de chivo expiatorio: cuando tiene invitados a cenar y no puede reponer las bebidas alcohólicas que se tomaron, por la ley que prohíbe la venta después de las nueve de la noche, se las pide a la rebelde, que destila ginebra en la bañera de su casa.

Hermana bella, hermana bestia

Si las hermanas comunes se pelean por la ropa y los novios, imaginemos lo que significa para una chica ser la hermana de Sharon Stone. Deben brotarle los más bajos instintos al comprobar que la genética no fue tan generosa en su caso, y mientras su parienta es un monumento, ella es, apenas, un holograma. Además de no parecerse en nada, la hermana de la linda lleva el karma de ser escrachada en *E! Hollywood true story* como la imagen de lo que sería la *megastar* sin cirugías, sin éxito y sin *glamour;* lo que se dice una verdadera *stone.*

El superdotado y el infradotado

Otro que tampoco la pasa bien es el hermano del genio, porque todo lo que haga será muy poco, comparado con el concurso millonario que ganó el superdotado o el descubrimiento de la vacuna antirrábica contra la envidia de su hermano. ¿Adónde puede convocar él a la familia? ¿A un partido en la escuelita de fútbol? Puede ser, pero solo asistirán si justo ese día el genio no fue invitado a dar una conferencia en Cambridge. Su desempeño estará eclipsado por el talento del hermano, y si los padres no contribuyen a que se sienta querido y valorado, por encontrarse siempre ocupados detrás de los logros del superchico, lo más probable es que termine vociferando a los cuatro vientos y con mucha amargura: *Mi hermano es hijo único.*

Hermanados

Aunque parezca mentira, también hay hermanos que se quieren mucho, incluso, más que a los padres, porque en la infancia tuvieron que protegerse de los malos tratos de sus progenitores. Ese lazo es muy fuerte y se sienten más identificados que con sus viejos con los cuales ni siquiera comparten una comida en familia por miedo a que se repitan las escenas del pasado. Una era cuando el padre empezaba a tomar, traía del *atelier* las obras de arte que había tallado en madera (en su mayoría, cristos) y se ponía a explicar el significado de cada una, mientras la madre, también encopada, entraba en un estado de melancolía total, aumentado por la música jazz de fondo, y pensaba en voz alta en qué momento de su juventud había confundido a aquel carpintero con Auguste Rodin.

Pequeñas histerias de hermanos

Hay diferentes clases de hermanos y hermanos con clase. Están los de sangre, los del corazón, los del alma (estos no son hermanos); los hermanos del medio y los medios hermanos. También los que lo son por interés y los que no tienen ningún interés en serlo. Los hermanos de claustro, la hermana superiora y la acomplejada. Los pueblos hermanos y los Ocho hermanos. Los hermanos de la calle, *brother,* y los hermanos en el crimen. Los siameses y los que andan cada uno suelto por su lado.

Veamos algunos testimonios de los hermanos más famosos de la farándula.

"La gente cree que nosotros no actuamos las canciones, sino que somos amantes. ¿Cómo podría enamorarme de una mina que me reprocha todo lo que hago, me grita y además me escupe cuando canta?".

Joaquín Galán, de *Pimpinela*

"Yo siempre le digo a mi hermano: hagamos películas que se entiendan, ¡pero no me hace caso!".

Joel Coen

"Me abrí de los *Jackson brothers* porque con ese color de piel aceituna y esa porra nunca iban a llegar a nada".

Michael Jackson

"Entre nosotras tres no existe ni la envidia ni la competencia, pero tenemos problemas de identidad por aquel pacto que hicimos de que ninguna puede cambiarse el color de pelo, hacerse un *lifting* o tener de marido a alguien que no sea jugador de polo".

Una de las trillizas de oro que no recuerda quién es

"Mi hermana y yo tuvimos la misma educación, en el Northlands, pero no la misma suerte. Ella encontró a su príncipe Orange y yo me quedé con el *blue*, que tiene mucho menos *fly* (mosca)".

Inés Zorreguieta

"A treinta años del asesinato de nuestros viejos debo confesar que el móvil fueron las reuniones literarias que mi mamá organizaba en casa. Mi hermano no soportaba más escuchar los poemas que escribía esa gente que se creía Cortázar. Además, odiaba el olor a pucho que quedaba impregnado en las cortinas cuando se iban, y a mi viejo, que no hacía nada. Al final, me arrastró a mí a cometer el crimen. ¡Qué paradoja la vida!, terminé escribiendo *Yo, Pablo Schoklender*. ¡Sí, es para matarme a mí también!".

Pablo Schoklender

"Yo siempre digo que con mi hermano salimos al revés: en vez de gustarle a él los deportes y moverse a lo varón, como yo, le gustan las telenovelas y posar en las fotos".

Gaby Sabatini

"Mi hermano Liar me hizo juicio porque el *son of a bitch* dice que yo anuncié que la banda se disolvía y que no era un *Oasis*, como su nombre lo indicaba, sino más bien un infierno".

Noe Cierto Gallagher

"Con Nicky somos recompañeras y nos identificamos. Ella se gana la vida diseñando ropa; Yo, quitándomela".

Paris Hilton

"Con mis hermanos nos hicimos famosos, porque cantamos con voz de mujer y por nuestra total falta de gusto para vestirnos; es que el éxito es un gran falsete".

Barry Gibb, el lindo del grupo

Epílogo

Dime qué te hicieron tus padres y te diré qué les harás a tus hijos

A partir de entender qué nos hicieron nuestros padres, elaboramos una *Guía* para reflexionar sobre la crianza de los hijos. Nos aventuramos a idear estrategias para cambiar la manera de educar para ver si conseguimos mejores logros. En el recorrido, descubrimos cómo fue la personalidad de los adultos de antes que se iniciaban en la paternidad. Pudimos ver en qué cosas la pegaron y en cuántas les debemos pegar nosotros a ellos.

Partiendo del modelo "porque yo lo digo", algunos viejos tuvieron a los hijos al trote con la esperanza de que salieran grandes jinetes, que no fueran los del Apocalipsis. Gritar, dar un chirlo de vez en cuando y alguna que otra penitencia fortalecían el carácter del infante… de marina. Debido a que los padres no veían mucho a los hijos ni tenían la conexión que se tiene ahora, la cena les daba la oportunidad de enterarse de cómo les iba en la escuela y en la vida en general. No se acostumbraba a comer mirando la tele, por lo tanto, había que llenar el vacío. No existía tanto rollo con el tema de los límites, y si la nena se ponía a hacer burbujas con la pajita mientras tomaba la soda, la obligaban a levantarse de la mesa y a levantar la mesa también. Estaba de moda el "no", y no salían hijos trastornados por eso; quizás, solo un poco negativos.

La escuela era socia de los padres, por lo tanto, continuaba la empresa que ellos habían empezado. Al niño le quedaba absolutamente claro que debía portarse bien, prestar atención en clase y hacer la tarea en casa. También había un tiempo de juego, en el que al chico se lo incentivaba para que se le prendiera la lamparita al proponerle que inventara sus propios pasatiempos. A las madres no se les ocurría tirarse al piso a jugar con ellos, pero, en cambio, colaboraban cosiendo vestiditos para las muñecas de las niñas o, en el caso de los varones, prestándoles el "papá-móvil", sin las llaves, claro.

A pesar de que había más enfermedades, las mujeres confiaban en los remedios caseros; eso no significa que no llevaran a los niños al pediatra, sino que, además, visitaban a la curandera. La educación sexual era tabú y, sacando dos o tres madres piolas que tenían profesiones relacionadas con el tema, como la de ginecólogas, la mayoría decía: *"De eso no se habla"*, en referencia al onanismo. Aunque la comunicación entre padres e hijos no era muy fluida, el hogar constituía el refugio donde la familia se defendía del mundanal ruido, porque, pese al *slogan* que decía: "El silencio es salud", no lo respetaban ni los enfermos.

De estos padres, un tanto rudos, con sus aciertos y errores, que agacharon la cabeza frente a cuestiones sexuales, pero alzaron la voz para mirar a los chicos de frente y zamparles una cachetada, nacieron hijos con la autoestima a media asta, pero bastante buenazos. Algo cuestionadores del trabajo que los viejos realizaron con ellos, y acusadores, también, sobre todo cuando lo hablan en terapia. Ahora les toca a ellos poner manos a la obra en la crianza; lo que salta a la vista es que patinan igual o más que sus antecesores, a los que criticaron. Se paran en la otra vereda, pero los chicos ni los escuchan, ni los ven, ni les hacen caso, pese a que los progenitores les dan más bolilla, más premios y menos palizas. Las cuestiones familiares que antes se acataban hoy se someten a debate. Es común preguntarle al niño qué quiere de comer o a cuál ciudad le gustaría ir de veraneo, como así también dónde prefiere que le coloquen el control remoto para que dirija a los *muppets* de los padres. "No queremos chicos con trauma –vociferan los adultos– preferimos padres *borderline*".

Para lidiar con las dudas y el escepticismo a los que se enfrentan los adultos, esta *Guía* propone dividir las aguas: de un lado se paran los hijos, y del otro, algún Moisés que sepa cómo cruzar el mar caminando. La verdad es que la vida es un milagro y el que deben realizar los padres para educar a sus hijos también: llevarlos a dormir sin que se den cuenta, crearles buenas costumbres con la paciencia de un monje zen... trado, acompañarlos en la etapa escolar, que tanto los aburrió a ellos, hacer oídos sordos a todo lo que piden en un trayecto corto en auto o ayudarlos a que se les pase un berrinche sin intervención de las Fuerzas Armadas. Una madre debe actuar de payasa para entretenerlos, de *container* cuando llegan los hermanos, de enfermera para colocarles el termómetro, de maga para que no se lo saquen y de la sexóloga Alessandra Rampolla cuando pesca al niño *in fraganti*. El padre, por otro lado, debe ser partero para recibir al crío al nacer –y ayudarlo, después, a partir–, cuadro de honor, nunca depresivo, arquero para atajar las quejas de la esposa y, lo más importante, cuenta corriente. Los chicos recurren a él para la merienda del cole, las fotocopias y los chiches, porque, en realidad, creen que el dinero crece de los árboles, ya que lo oyeron decir muchas veces que cada billete que gana es fruto de su trabajo.

Esta nueva generación de progenitores pasa de exclamar: "No quiero que mi hijo sufra todo lo que yo he sufrido" a "Ya no puedo con él". ¿Por qué les damos a los hijos todos los gustos y el resultado es que siguen insatisfechos? ¿Cómo fue la transición del papá todopoderoso, más precisamente, un papa, a un Papá Noel? ¿Por qué la madre cambió las vitaminas del hijo por chatarra? ¿Cuándo se hizo indispensable que el niño no se aburriera nunca, que hasta tiene que jugar en lo del pediatra? ¿Cómo se convirtió la familia real en virtual? ¿Puede sobrevivir un padrastro a la uña encarnada que es su hijastro? ¿Hay abuelos en *stock* o están todos en *stop*? A partir de desnudar a los padres y a los hijos, la *Guía* ofrece las respuestas a estos interrogantes y otros más, para que el resultado sea niños felices y adultos que en paz descansen.

Decálogo de los buenos padres

1) Es deber del padre estar presente desde la gestación del bebé y durante todo el embarazo. Eso incluye no llegar tarde a las ecografías. Del mismo modo, la mamá debe hablarle a la panza para que el embrión se vaya acostumbrando, desde el comienzo, a los monólogos de la vieja.

2) Es responsabilidad de los padres adecuar la casa al niño durante los primeros años de vida. Eso significa permitirle colgar sus dibujos en las paredes, arrastrar su cuna a la habitación de los progenitores y usar las ventanas para pegar a Miki Moco.

3) Es necesario, de vez en cuando, entrar de incógnitos en su Messenger, Facebook y Twitter para averiguar de quiénes son amigos los hijos, ya que a los propios padres los tienen bloqueados.

4) Cada orden que emitan debe ser explicada, con las razones y motivos del por qué se acepta o se niega tal o cual medida. Y pueden hacerlo echando mano de la escueta, pero eficaz frase que lo resume todo: "porque sí".

5) No emplear castigos físicos como la chancleta voladora, el cinturón karateca o el bife sorpresa. Es mejor una buena penitencia, como negarse a comprarle el pasaporte Premium del Mundo Gaturro.

6) Introducir al niño en el arte y en la literatura, a través de los cuentos, del cine y del teatro. Procurar no dormirse durante ninguna de las tres propuestas. A los chicos les gusta identificarse con sus héroes; a ellas, tener el pelo tan largo como el de Rapunzel y a ellos mentir como Pinocho.

7) Tomarse el tiempo necesario para conocer a sus amigos. Que la opinión que emitan pase primero por el tamiz de la orientadora de padres perdidos, porque los adultos tienen tendencia al pre-

juicio y a mirar torcido al compañero que le gusta ese "mentiro-sito y borrachín" de Justin Bieber, digo, ese cantante pop.

8) Enseñarle a cuidar el medio ambiente y eso incluye el auto de los papis. Por lo tanto, advertirle que si sigue dejando tirados papeles de golosinas, envases de gaseosas y el coco que se tomó en Brasil, el vehículo pronto se parecerá al camión del Ceamse.

9) Inculcarle el respeto a la patria y obligarlo a cantar El Himno Nacional, en vez de pretender que lo canturrea moviendo los labios. Recordarle que en las festividades patrias debe llevar escarapela, escudo y lanza, sobre todo, cuando vaya a fes-tejar al Obelisco.

10) Formarlo en el juicio crítico, para que no crea en todo lo que ve en la tele o lee en los diarios, sino que saque sus propias conclusiones. Para eso están las reuniones familiares en las que se debate sobre política y religión, y terminan todos más encen-didos que fogón de playa.

Índice

Capítulo VIII
Lo que pasó enfrentarse lucha continua ....

Epílogo